ÉDITRICE: Caty Bérubé

DIRECTRICE GÉNÉRALE: Julie Doddridge

CHEF D'ÉQUIPE PRODUCTION ÉDITORIALE: Isabelle Roy

CHEF D'ÉQUIPE PRODUCTION GRAPHIQUE: Marie-Christine Langlois

CHEFS CUISINIERS: Benoît Boudreau et Richard Houde.

RÉDACTRICE EN CHEF: Anne-Marie Favreau

RECHERCHISTE CULINAIRE: Isabelle Chabot

AUTEURS: Miléna Babin, Caty Bérubé, Richard Houde, Annie Lavoie
et Raphaële St-Laurent Pelletier.

RÉVISEURES: Marilou Cloutier et Corinne Dallain.

ASSISTANTES À LA PRODUCTION: Edmonde Barry et Julie Day-Lebel.

CONCEPTRICES GRAPHIQUES: Annie Gauthier, Arianne Leclerc Jodoin,
Ariane Michaud-Gagnon, Myriam Poulin, Claudia Renaud et Joëlle Renauld.

SPÉCIALISTE EN TRAITEMENT D'IMAGES ET CALIBRATION PHOTO:
Yves Vaillancourt

PHOTOGRAPHES: Rémy Germain et Marie-Ève Lévesque.

STYLISTES CULINAIRES: Laurie Collin et Christine Morin.

DIRECTEUR DE LA DISTRIBUTION: Marcel Bernatchez

DISTRIBUTION: Éditions Pratico-Pratiques et Messageries ADP.

IMPRESSION: TC Interglobe

DÉPÔT LÉGAL: 1er trimestre 2016
Bibliothèque et Archives nationales du Québec
Bibliothèque et Archives Canada
ISBN 978-2-89658-806-0

Gouvernement du Québec - Programme de crédit d'impôt
pour l'édition de livres - Gestion SODEC

1685, boulevard Talbot, Québec (QC) G2N 0C6
Tél.: 418 877-0259
Sans frais: 1 866 882-0091
Téléc.: 418 780-1716
www.pratico-pratiques.com

Commentaires et suggestions: info@pratico-pratiques.com

SOUPERS

santé en 5 INGRÉDIENTS · 15 MINUTES

SOUPERS
santé en 5
INGRÉDIENTS

15 MINUTES

260 recettes
POUR MIEUX MANGER EN FAMILLE
en 5 ingrédients, 15 minutes

P Pratico pratiques

Table des matières

Manger santé : *on passe à l'action !*

L'alimentation a une incidence directe sur notre qualité de vie. En mangeant sainement et en s'assurant d'offrir à notre organisme tous les nutriments dont il a besoin, on met toutes les chances de notre côté pour vivre longtemps et en santé.

Ça, tout le monde le sait !

Mais ce que l'on sait aussi, c'est que dans le train-train quotidien, nos bonnes intentions sont souvent balayées par notre manque de temps.

Pour vous permettre de manger santé malgré votre rythme de vie effréné, ce livre de la collection *5 ingrédients - 15 minutes* vous offre des recettes saines et nutritives que vous pourrez préparer en moins de 15 minutes à partir de 5 ingrédients principaux.

Sa particularité ? Chacune de ses sections a été conçue pour vous permettre de cuisiner en fonction de vos préoccupations alimentaires (sans gluten, avec plus de fibres, à teneur réduite en sodium, etc.). Vous aimeriez augmenter votre apport en oméga-3 et 6 ? Vous trouverez aussi de quoi vous satisfaire !

En prime, vous découvrirez des suggestions d'accompagnements santé ainsi qu'un dossier vous aidant à cuisiner sainement et à mieux comprendre vos besoins nutritionnels.

À partir de maintenant, le manque de temps n'aura plus jamais raison de vos bonnes intentions.

Longue vie à vous !

Caty

25 infos et astuces pour mieux manger

Malgré les nombreux courants, modes et régimes prônant une saine alimentation, on constate que des ingrédients néfastes pour la santé envahissent les produits préparés du commerce. Viandes transformées, repas surgelés, mets préparés, collations salées... Une grande quantité de sodium, de lipides et de glucides s'y cachent!

Il existe toutefois une solution toute simple pour faire un pied de nez à ces indésirables: C-U-I-S-I-N-E-R! En privilégiant les produits frais, en lisant les étiquettes nutritionnelles, en vous informant sur les apports quotidiens recommandés, en faisant le plein de nutriments ainsi qu'en intégrant de petits trucs pour limiter votre consommation de sel, de gras et de sucre, il est fort à parier que vous atteindrez un équilibre satisfaisant.

Soucieux de mieux comprendre vos besoins nutritionnels et de cuisiner sainement?

Pigez dans ce dossier pour découvrir 25 infos et astuces simples et santé!

1 Optimiser l'absorption du calcium

Consommer de la vitamine D favoriserait une meilleure absorption du calcium. On retrouve notamment cette vitamine **dans le lait et ses substituts, dans les légumes vert foncé ainsi que dans le saumon et les sardines en conserve.** À l'opposé, une surconsommation de sel et de caféine pourrait nuire à l'assimilation du calcium en provoquant son élimination par l'urine.

2 Un minimum de calcium !

Le calcium est un minéral important pour la santé des os et des dents ainsi que pour le bon fonctionnement des muscles. Voici l'apport recommandé pour chaque tranche d'âge.

Âge	Apport quotidien en calcium
De 4 à 8 ans	800 mg
De 9 à 18 ans	1 300 mg
De 19 à 50 ans	1 000 mg
50 ans et plus	1 200 mg
Femmes enceintes ou allaitant (18 ans et plus)	1 000 mg

Lorsque vous lisez l'étiquette nutritionnelle d'un produit, retenez qu'un apport quotidien de 5 % ou moins est peu satisfaisant et qu'un apport de 15 % est très élevé[1].

Source : osteoporosecanada.ca

4 Fer et vitamine C : un duo d'enfer !

Minéral essentiel à la production de globules rouges et au transport de l'oxygène dans le corps, le fer serait le nutriment pour lequel il y a le plus de carences dans le monde, selon l'Organisation mondiale de la santé. Mais saviez-vous que lorsque vous consommez des aliments riches en vitamine C (brocoli, agrumes, kiwi, fraise, poivron rouge, etc.), votre organisme absorbe plus facilement le fer d'origine végétale ? N'hésitez donc pas à ajouter, par exemple, un filet de jus de citron ou de lime sur vos légumes verts (salade, épinards, etc.) !

3 Les vitamines, alliées indispensables

Il est important de connaître les effets positifs des vitamines sur notre organisme, mais aussi de reconnaître les aliments qui en fournissent. Voici un aperçu des principales vitamines.

Vitamines	Fonctions	Exemples de sources
A	• Favorise une bonne vision et la croissance des os	Patate douce, chou, abats
B6	• Contribue au maintien de l'équilibre psychique • Régule le taux de sucre dans le sang • Aide à la formation des globules rouges	Volaille, pois chiches, pomme de terre cuite au four
B9 (acide folique)	• Protège contre les malformations du fœtus • Participe à la fabrication des cellules • Favorise le bon fonctionnement des systèmes nerveux et immunitaire	Abats, légumineuses, asperge, betterave
B12	• Assure le bon fonctionnement des cellules nerveuses	Viande, volaille, lait, œufs
C	• Assure la santé des os, des cartilages, des dents et des gencives • Protège contre les infections • Améliore l'absorption du fer d'origine végétale	Orange, kiwi, brocoli, poivron rouge
D	• Favorise la bonne santé des os et des dents • Contribue à maintenir une bonne santé globale	Saumon, lait de vache
E	• Possède un effet antioxydant • Protège les globules rouges et les globules blancs • A des propriétés anti-inflammatoires • Assure la bonne santé du cœur	Amandes, avocat, arachides
K	• Améliore la coagulation du sang	Légumes verts, kiwi

5 Top 5 des aliments riches en oméga-3

Puisque les oméga-3 favorisent une bonne santé cardiovasculaire, voici les principaux aliments qui en contiennent et que vous devriez intégrer au menu.

1. **Les poissons gras** (saumon, hareng, maquereau, thon, sardines, etc.)
2. **Les noix de Grenoble**
3. **Les graines** (chia, chanvre, lin, etc.)
4. **Certaines huiles végétales** (canola, lin, soya, etc.)
5. **Les œufs enrichis en oméga-3**

7 Le régime sans gluten : pour qui ?

Ce régime est spécifiquement conçu pour les personnes intolérantes au gluten (soit environ 1 % de la population), mais on constate que certaines personnes soucieuses de perdre du poids ou de mieux s'alimenter adoptent aussi ce régime devenu à la mode. Celui-ci consiste à éliminer de son alimentation toutes les céréales contenant du gluten (seigle, avoine, blé, orge, etc.) ainsi que les sous-produits de ces céréales (bière, sauces, vinaigrettes, charcuteries, etc.). **Retenez que ce régime devrait être réservé aux personnes diagnostiquées intolérantes au gluten (maladie cœliaque) et qu'un suivi médical est requis.** Autrement, on risque de souffrir de complications graves ou de carences alimentaires, surtout que plusieurs produits sans gluten offrent parfois moins de nutriments et davantage de sucre, de gras et de sel.

8 Gare aux excès de sodium

Jetez un coup d'œil sur ce tableau pour identifier l'apport quotidien recommandé en sodium selon votre âge ainsi que la quantité maximale à ne pas dépasser.

Âge	Apport quotidien recommandé en sodium	Apport maximal quotidien en sodium
De 1 à 3 ans	1 000 mg	1 500 mg
De 4 à 8 ans	1 200 mg	1 900 mg
De 9 à 13 ans	1 500 mg	2 200 mg
De 14 à 50 ans	1 500 mg	2 300 mg
De 51 à 70 ans	1 300 mg	2 300 mg
71 ans et plus	1 200 mg	2 300 mg

Source : canadiensensante.gc.ca

Saviez-vous que les Canadiens adultes consomment en moyenne 1 000 mg de sodium de plus que l'apport quotidien recommandé ?

6 L'apport quotidien recommandé

Trois facteurs influencent la dépense énergétique et donc, les apports quotidiens recommandés.

- **Âge :** le métabolisme de base ralentit avec l'âge. De plus, une période de croissance ou de grossesse, par exemple, entraîne une plus grande dépense énergétique.

- **Sexe :** la masse musculaire des hommes, généralement plus grande que celle des femmes, augmente leur métabolisme de base et donc la dépense énergétique.

- **Niveau d'activité physique :** après une séance d'activité physique, la dépense énergétique de base du corps est plus élevée qu'au repos. Plus l'intensité de l'activité physique a été élevée, plus le corps puise son énergie dans les réserves de gras.

Il est important de respecter son apport recommandé en nutriments ; autrement, une carence ou un excès pourrait être à l'origine de troubles de santé.

9 Les sources de sel à éviter

Environ 80 % du sodium que l'on consomme provient des aliments transformés[2]. On devrait limiter la consommation des aliments suivants pour éviter d'excéder l'apport quotidien recommandé : **viandes transformées (saucisses, charcuteries, etc.), soupes prêtes à servir, fromages, pains et pâtisseries, plats prêts-à-manger, repas surgelés, collations salées, arachides et noix salées, légumineuses en conserve et céréales à déjeuner.**

10 Le plein de fibres

En plus de favoriser le maintien d'un poids santé, une alimentation riche en fibres participe à la santé des intestins, à une bonne digestion, à l'équilibre glycémique et à la réduction du cholestérol. Retenez qu'une **portion élevée en fibres équivaut à 4 g ou plus**, tandis qu'une portion très élevée correspond à 6 g ou plus. Les principales sources de fibres sont les légumineuses, les céréales ainsi que les fruits et les légumes.

11 Gratiné, mais moins gras

Impossible de résister à un gratin tout juste sorti du four! Toutefois, ce délice est souvent accompagné d'un dépôt de gras à sa surface. Pour l'éliminer, il suffit d'éponger le surplus de gras à l'aide de papier absorbant.

12 Feta moins salée

Pour couper la teneur en sel de vos plats contenant de la feta, faites tremper ce fromage dans l'eau froide une heure avant la préparation du repas. La feta conservera son goût sans faire exploser votre apport journalier en sodium.

13 On coupe le sucre!

Sachant que les Canadiens consomment environ 130 ml (26 c. à thé) de sucre par jour, soit le double de sucre que la quantité recommandée, on gagne à trouver des solutions de remplacement. Par exemple, les purées de fruits frais ou séchés peuvent très bien se substituer au sucre dans plusieurs recettes (muffins, gâteaux...). De plus, évitez les produits du commerce qui renferment une quantité élevée de sucre à des fins de conservation, comme **les soupes, les charcuteries, les plats prêts-à-manger, les bouillons préparés et les sauces prêtes à servir.**

14 Remplacer la mayonnaise

La mayonnaise étant hautement calorique, il est recommandé de lui trouver des substituts. Si les recettes s'y prêtent, la salsa, le guacamole, la purée de pois chiches et le tofu soyeux mou sont des exemples de tartinades beaucoup moins riches et plus nutritives. Le yogourt nature 0% est aussi un ingrédient fort polyvalent: il offre une texture similaire à celle de la mayonnaise, la quantité astronomique de calories en moins!

125 ml (½ tasse) de **yogourt nature 0%** = **71 calories**

125 ml (½ tasse) de **mayonnaise** = **836 calories**

15 Vinaigrettes allégées

Une salade qui baigne dans la vinaigrette peut vite devenir aussi calorique que du *fast-food*! Quand cela est possible, préférez les vinaigrettes maison et remplacez la moitié de la quantité d'huile par de l'eau. En complétant votre vinaigrette avec du jus de citron, de l'ail et des fines herbes, vous n'y verrez que du feu!

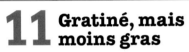

Photos sucre et blé: Shutterstock. (2) canadiensensante.qc.ca.

16 Retirer la peau du poulet

Une étude menée par les Producteurs de poulet du Canada révèle qu'un poulet dont on retire la peau juste avant la consommation aurait une valeur nutritive supérieure au poulet cuit sans peau[3]. **Par exemple, une poitrine de poulet de 100 g cuite sans peau fournit 146 calories et 1,73 g de matières grasses, tandis qu'une même portion de poulet dont on a retiré la peau après la cuisson procurerait 134 calories et 1,37 g de gras.** En effet, pendant la cuisson, le gras s'écoule de la volaille et est emprisonné dans la peau. C'est pourquoi on a tout avantage à cuire le poulet avec la peau pour profiter d'une texture juteuse, mais à la retirer juste avant de se régaler!

17 Compromis entre fibres et goût

Les produits céréaliers à base de blé entier ne vous attirent guère? Pour faire le plein de fibres sans altérer le goût de vos recettes, misez sur le principe du moitié-moitié! Par exemple, remplacez la moitié de la farine blanche ordinaire par de la farine de blé entier. Le même principe peut être appliqué avec les pâtes alimentaires.

18 Moitié viande

Saviez-vous qu'en remplaçant la moitié de la viande hachée contenue dans vos recettes par du tofu émietté ou par des lentilles, vous pourriez couper environ 50% du gras et des calories? Cela vous permettrait en plus de consommer davantage de fibres et donc de ressentir plus rapidement un sentiment de satiété. Convaincant, n'est-ce pas?

19 On rince les légumineuses!

Regorgeant de vitamines et de minéraux – notamment de fer et de calcium –, les légumineuses en conserve sont des aliments de choix! Puisqu'elles trempent dans un liquide salé, rincez-les abondamment afin d'éliminer l'excédent de sodium avant de les utiliser dans une recette.

20 Substitut aux œufs

Les œufs ont une teneur élevée en matières grasses. **Pour une recette allégée, remplacez un œuf entier par deux blancs d'œufs.** Pour une version encore plus saine, un ingrédient des plus surprenants peut le remplacer: le chia! Remplacez chaque œuf par 15 ml (1 c. à soupe) de graines de chia qui auront trempé dans 45 ml (3 c. à soupe) d'eau pendant environ 15 minutes.

22 Dessaler son jambon

Pour diminuer la teneur en sel de votre jambon, laissez-le tremper dans l'eau toute une nuit au réfrigérateur, puis jetez l'eau de trempage. Autre option: déposez le jambon dans une casserole remplie d'eau froide. Portez à ébullition, puis laissez mijoter 20 minutes à feu doux. Égouttez le jambon et répétez cette opération une seconde fois. Il ne restera plus qu'à le faire cuire selon les indications de votre recette!

21 Plus de goût, moins de sel

Il est facile d'y aller fort avec la salière lorsque vient le temps d'assaisonner nos plats! Pourtant, certains ingrédients donnent autant de goût que le sel, voire davantage. Voici quelques idées pour parfumer vos recettes… et couper sur le sel!

- Fines herbes (basilic, coriandre, thym, aneth, ciboulette, etc.)
- Épices (cumin, cari, etc.)
- Vin
- Vinaigre

- Ail
- Gingembre
- Jus de citron ou de lime
- Zestes d'agrumes
- Huiles goûteuses (olive, sésame grillé, etc.)

23 Des saucisses moins grasses et moins salées

Faire bouillir vos saucisses avant la cuisson, en prenant soin de les piquer à plusieurs endroits, permet de réduire la quantité de sel et de gras qu'elles renferment!

24 Cuisson de la viande hachée

Lors de la cuisson de la viande hachée, vous peinez à retirer un maximum de gras? Ajoutez 15 ml (1 c. à soupe) d'eau pendant la cuisson: ainsi, la graisse et la viande se sépareront aisément.

25 Dégraisser un liquide

Vos soupes, sauces ou bouillons sont bourrés de gras? Pour les dégraisser, placez-les au réfrigérateur environ une heure. Les matières grasses figeront et se retireront facilement à l'aide d'une cuillère!

Moins de 400 calories

Si votre idéal est de manger des repas légers tout en ayant la sensation de vous gâter, cette section est pour vous! Alliant saveurs exquises, variété ainsi que nombre restreint de calories, les mets présentés ici promettent de réjouir vos papilles... et de dire adieu à la culpabilité!

Tortillas
4 moyennes ①

Mélange de légumes surgelés de type chili ②
375 ml (1 ½ tasse)

Bœuf haché extra-maigre ③
350 g (environ ¾ de lb)

Bébés épinards ④
500 ml (2 tasses)

12 tomates cerises ⑤
coupées en quatre

PRÉVOIR AUSSI :
➤ **Bouillon de poulet**
125 ml (½ tasse)
➤ **Ketchup**
60 ml (¼ de tasse)

FACULTATIF :
➤ **Cheddar jaune**
râpé
180 ml (¾ de tasse)

Bol de tortillas au bœuf

Préparation : **15 minutes** • Cuisson : **20 minutes** • Quantité : **4 portions**

Préparation

Préchauffer le four à 180 °C (350 °F).

Façonner les tortillas en suivant les indications de l'encadré ci-dessous. Chauffer les tortillas au four de 12 à 15 minutes, jusqu'à ce qu'elles soient dorées. Retirer du four, démouler et laisser tiédir sur une grille.

Dans une poêle, chauffer un peu d'huile d'olive à feu moyen. Cuire les légumes de 4 à 5 minutes en remuant de temps en temps.

Ajouter le bœuf haché. Poursuivre la cuisson de 4 à 5 minutes en égrainant la viande à l'aide d'une cuillère en bois, jusqu'à ce que la viande ait perdu sa teinte rosée.

Verser le bouillon de poulet et le ketchup. Porter à ébullition, puis laisser mijoter à feu moyen jusqu'à réduction complète du liquide.

Répartir les bébés épinards dans les bols en tortillas, puis garnir de la préparation au bœuf haché. Garnir de tomates cerises.

Si désiré, parsemer de cheddar. Servir aussitôt.

PAR PORTION	
Calories	390
Protéines	29 g
Matières grasses	20 g
Glucides	31 g
Fibres	4 g
Fer	3 mg
Calcium	200 mg
Sodium	901 mg

Astuce 5-15

Déposer chacune des tortillas dans un bol de 10 cm (4 po) de diamètre allant au four et faire onduler le rebord à l'aide des doigts.

Chapelure panko ❶
125 ml (½ tasse)

Parmesan ❷
râpé
60 ml (¼ de tasse)

Aneth ❸
haché
15 ml (1 c. à soupe)

Beurre ❹
fondu
15 ml (1 c. à soupe)

Saumon ❺
4 filets de 150 g
(⅓ de lb) chacun

FACULTATIF :
➤ **Persil**
haché
15 ml (1 c. à soupe)

Saumon en croûte de parmesan

Préparation : **15 minutes** • Cuisson : **12 minutes** • Quantité : **4 portions**

Préparation

Préchauffer le four à 180°C (350°F).

Dans un bol, mélanger la chapelure avec le parmesan, l'aneth, le beurre fondu et, si désiré, le persil.

Saler et poivrer les filets de saumon, puis les garnir du mélange au parmesan. Déposer les filets de saumon sur une plaque de cuisson tapissée de papier parchemin.

Cuire au four de 12 à 15 minutes, jusqu'à ce que le saumon soit cuit et que la croûte de parmesan soit légèrement dorée.

PAR PORTION	
Calories	391
Protéines	34 g
Matières grasses	25 g
Glucides	6 g
Fibres	0 g
Fer	1 mg
Calcium	91 mg
Sodium	201 mg

Idée pour accompagner

Tombée de tomates et poireaux

Dans une grande poêle, chauffer 30 ml (2 c. à soupe) d'huile d'olive à feu moyen. Cuire ½ oignon rouge émincé et ½ poireau émincé finement de 4 à 6 minutes. Ajouter 10 ml (2 c. à thé) d'ail haché et 5 ml (1 c. à thé) de thym haché. Poursuivre la cuisson 1 minute. Verser 60 ml (¼ de tasse) de vin blanc et laisser mijoter à feu moyen jusqu'à réduction presque complète du liquide. Ajouter 8 tomates cerises coupées en quatre et remuer légèrement. Saler et poivrer.

Noix de cajou ①
80 ml (⅓ de tasse)

Poulet ②
3 poitrines sans peau
coupées en dés

1 poivron rouge ③
coupé en lanières

Gingembre ④
haché
10 ml (2 c. à thé)

Sauce sucrée ⑤
aux piments chili
du commerce
250 ml (1 tasse)

Poulet aux noix de cajou

Préparation : **15 minutes** • Cuisson : **10 minutes** • Quantité : **4 portions**

Préparation

Dans une poêle ou dans un wok, chauffer un peu d'huile d'arachide ou de canola à feu moyen. Faire dorer les noix de cajou 1 minute.

Ajouter les dés de poulet et faire dorer 2 minutes de chaque côté. Retirer les noix et le poulet de la poêle.

Dans la même poêle, cuire le poivron, le gingembre et l'ail de 2 à 3 minutes.

Ajouter le poulet, les noix de cajou et la sauce sucrée aux piments chili. Poursuivre la cuisson de 2 à 3 minutes, jusqu'à ce que l'intérieur de la chair du poulet ait perdu sa teinte rosée.

Si désiré, parsemer d'oignon vert au moment de servir.

PAR PORTION	
Calories	368
Protéines	25 g
Matières grasses	11 g
Glucides	40 g
Fibres	1 g
Fer	1 mg
Calcium	17 mg
Sodium	830 mg

Version maison

Sauce asiatique sucrée

Fouetter 250 ml (1 tasse) de bouillon de poulet avec 45 ml (3 c. à soupe) de vinaigre de riz, 30 ml (2 c. à soupe) de sauce soya, 30 ml (2 c. à soupe) de sauce hoisin, 15 ml (1 c. à soupe) de sucre et 15 ml (1 c. à soupe) de fécule de maïs. Poivrer.

PRÉVOIR AUSSI :
➤ **Ail**
haché
15 ml (1 c. à soupe)

FACULTATIF :
➤ 1 **oignon vert**
émincé

6 œufs ❶

Jambon serrano ❷
ou prosciutto
6 tranches coupées
en morceaux

1 brocoli ❸
coupé en petits
bouquets

Croûtons nature ❹
250 ml (1 tasse)

Mozzarella ❺
râpée
250 ml (1 tasse)

PRÉVOIR AUSSI :
➤ **Lait**
125 ml (½ tasse)
➤ **½ oignon rouge**
émincé

FACULTATIF :
➤ **Moutarde
à l'ancienne**
15 ml (1 c. à soupe)

Frittata au jambon serrano et brocoli

Préparation : **15 minutes** • Cuisson : **25 minutes** • Quantité : **4 portions**

Préparation

Préchauffer le four à 190°C (375°F).

Dans un bol, fouetter les œufs avec le lait et, si désiré, la moutarde.

Incorporer le jambon, le brocoli, les croûtons, la moitié du fromage et l'oignon rouge. Saler et poivrer.

Huiler un plat de cuisson de 20 cm (8 po) et y verser la préparation.

Couvrir avec le reste du fromage. Cuire au four de 25 à 30 minutes, jusqu'à ce que la frittata soit ferme.

PAR PORTION	
Calories	332
Protéines	26 g
Matières grasses	19 g
Glucides	14 g
Fibres	2 g
Fer	2 mg
Calcium	258 mg
Sodium	870 mg

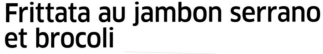

Idée pour accompagner

Galettes de patates douces aux fines herbes

Dans un bol, fouetter 1 œuf avec 30 ml (2 c. à soupe) de persil haché, 15 ml (1 c. à soupe) de ciboulette hachée et 15 ml (1 c. à soupe) d'épices cajun. Incorporer 4 patates douces pelées et râpées finement. Saupoudrer de 45 ml (3 c. à soupe) de farine. Saler, poivrer et remuer. Tapisser une plaque de cuisson de papier parchemin et badigeonner la feuille d'huile d'olive. Sur la plaque, déposer 80 ml (⅓ de tasse) de préparation par galette. Cuire au four de 20 à 25 minutes à 205°C (400 °F), en retournant les galettes à mi-cuisson.

Bœuf ①
450 g (1 lb) de biftecks
d'intérieur de ronde
ou de surlonge émincés

Pâte de cari panang ②
ou pâte de cari rouge
30 ml (2 c. à soupe)

Lait de coco ③
1 boîte de 400 ml

Lime ④
30 ml (2 c. à soupe)
de jus

Sauce de poisson ⑤
15 ml (1 c. à soupe)

PRÉVOIR AUSSI :
➤ **Sauce soya**
réduite en sodium
30 ml (2 c. à soupe)
➤ **Sucre**
15 ml (1 c. à soupe)

FACULTATIF :
➤ **Ciboulette**
hachée
30 ml (2 c. à soupe)

Bœuf panang

Préparation : **15 minutes** • Cuisson : **7 minutes** • Quantité : **4 portions**

Préparation

Dans une poêle ou dans un wok, chauffer un peu d'huile d'arachide ou de canola à feu moyen. Saisir le bœuf de 2 à 3 minutes. Réserver dans une assiette.

Dans la même poêle, cuire la pâte de cari 1 minute en remuant.

Verser le lait de coco, le jus de lime, la sauce de poisson, la sauce soya et le sucre. Porter à ébullition, puis laisser mijoter de 3 à 4 minutes.

Remettre le bœuf dans la poêle et prolonger la cuisson de 1 à 2 minutes à feu moyen.

Si désiré, parsemer de ciboulette au moment de servir.

PAR PORTION	
Calories	320
Protéines	28 g
Matières grasses	20 g
Glucides	7 g
Fibres	1 g
Fer	4 mg
Calcium	30 mg
Sodium	1 237 mg

Idée pour accompagner

Edamames au bouillon de légumes

Dans une casserole, porter à ébullition 250 ml (1 tasse) de bouillon de légumes. Ajouter 500 ml (2 tasses) d'edamames décortiqués surgelés. Laisser mijoter de 4 à 5 minutes à feu moyen-élevé. Égoutter. Saler et poivrer.

Bouillon de poulet ❶
125 ml (½ tasse)

Sirop d'érable ❷
125 ml (½ tasse)

Sauce soya ❸
réduite en sodium
60 ml (¼ de tasse)

Vinaigre de vin rouge ❹
15 ml (1 c. à soupe)

Poulet ❺
4 poitrines sans peau

PRÉVOIR AUSSI :
➤ **Gingembre**
haché
15 ml (1 c. à soupe)
➤ **Fécule de maïs**
10 ml (2 c. à thé)

Poitrines de poulet, sauce teriyaki à l'érable

Préparation : **15 minutes** • Cuisson : **10 minutes** • Quantité : **4 portions**

Préparation

Dans un bol, fouetter le bouillon de poulet avec le sirop d'érable, la sauce soya, le vinaigre de vin rouge et le gingembre. Poivrer. Réserver.

Dans une poêle, chauffer un peu d'huile de canola à feu moyen. Saisir les poitrines 1 minute de chaque côté.

Verser la sauce dans la poêle. Porter à ébullition, puis laisser mijoter à feu doux-moyen de 10 à 12 minutes, jusqu'à ce que l'intérieur de la chair du poulet ait perdu sa teinte rosée.

Dans un petit bol, délayer la fécule de maïs dans un peu d'eau froide, puis verser dans la poêle. Remuer et cuire 1 minute jusqu'à épaississement de la sauce.

PAR PORTION	
Calories	332
Protéines	42 g
Matières grasses	3 g
Glucides	32 g
Fibres	0 g
Fer	2 mg
Calcium	63 mg
Sodium	694 mg

Idée pour accompagner

Riz aux amandes grillées

Dans une casserole, faire fondre 30 ml (2 c. à soupe) de beurre à feu moyen. Ajouter 1 carotte et 1 oignon coupés en dés. Cuire de 1 à 2 minutes. Ajouter 250 ml (1 tasse) de riz et remuer. Verser 500 ml (2 tasses) de bouillon de poulet. Couvrir et porter à ébullition, puis cuire à feu doux-moyen de 18 à 20 minutes. Au moment de servir, incorporer 80 ml (⅓ de tasse) d'amandes grillées.

Crevettes moyennes (calibre 31/40)
crues et décortiquées
450 g (1 lb)

Asperges
coupées en tronçons
250 ml (1 tasse)

Maïs
1 épi cuit et coupé
en tronçons

Vinaigrette miel et Dijon
du commerce
80 ml (⅓ de tasse)

16 tomates cerises
de couleurs variées
coupées en deux

PRÉVOIR AUSSI :
➤ **Miel**
20 ml (4 c. à thé)
➤ **Roquette**
500 ml (2 tasses)

Salade tiède aux crevettes

Préparation : **15 minutes** • Cuisson : **5 minutes** • Quantité : **4 portions**

Préparation

Dans une poêle, chauffer un peu d'huile d'olive à feu moyen-élevé. Cuire les crevettes de 1 à 2 minutes de chaque côté.

Ajouter le miel et poursuivre la cuisson de 1 à 2 minutes.

Ajouter les asperges et le maïs. Poursuivre la cuisson 2 minutes. Saler et poivrer.

Hors du feu, incorporer la moitié de la vinaigrette.

Dans un saladier, mélanger le reste de la vinaigrette avec les tomates cerises et la roquette.

Répartir le mélange de roquette dans quatre assiettes. Garnir de crevettes et de légumes.

PAR PORTION	
Calories	268
Protéines	26 g
Matières grasses	11 g
Glucides	19 g
Fibres	2 g
Fer	4 mg
Calcium	92 mg
Sodium	314 mg

Version maison

Vinaigrette à la moutarde à l'ancienne

Mélanger 80 ml (⅓ de tasse) d'huile d'olive avec 45 ml (3 c. à soupe) d'eau, 45 ml (3 c. à soupe) de jus de citron, 30 ml (2 c. à soupe) de moutarde à l'ancienne et 15 ml (1 c. à soupe) de zestes de citron. Saler et poivrer.

Champignons
hachés
1 contenant de 227 g ➊

Pâte à pizza
1 boule de 454 g ➋

Coulis de tomates
60 ml (¼ de tasse) ➌

Poulet
cuit et coupé en dés
180 ml (¾ de tasse) ➍

Mozzarella
râpée
125 ml (½ tasse) ➎

PRÉVOIR AUSSI :
➤ **½ oignon**
haché finement

FACULTATIF :
➤ **Roquette**
180 ml (¾ de tasse)

Calzones au poulet et champignons

Préparation : **15 minutes** • Cuisson : **15 minutes** • Quantité : **4 portions**

Préparation

Préchauffer le four à 205 °C (400 °F).

Dans une poêle, chauffer un peu d'huile d'olive à feu moyen. Cuire l'oignon jusqu'à tendreté.

Ajouter les champignons et cuire jusqu'à ce qu'il ne reste plus de liquide de cuisson.

Diviser la pâte en quatre boules. Sur une surface légèrement farinée, abaisser chacune des boules en un cercle de 25 cm (10 po) de diamètre.

Sur la moitié de chaque cercle, répartir le coulis de tomates, le poulet, les champignons, la mozzarella et, si désiré, la roquette. Replier et sceller en pressant sur le pourtour de manière à former une demi-lune.

Déposer les calzones sur une plaque de cuisson tapissée de papier parchemin. Cuire au four 15 minutes, jusqu'à ce que la pâte soit dorée.

PAR PORTION	
Calories	382
Protéines	21 g
Matières grasses	11 g
Glucides	50 g
Fibres	3 g
Fer	4 mg
Calcium	101 mg
Sodium	428 mg

Idée pour accompagner

Salade de chou rouge, roquette et tomates cerises

Dans un saladier, mélanger 60 ml (¼ de tasse) d'huile d'olive avec 30 ml (2 c. à soupe) de jus de citron et 15 ml (1 c. à soupe) de miel. Saler et poivrer. Ajouter 500 ml (2 tasses) de roquette, 12 tomates cerises jaunes coupées en deux et 250 ml (1 tasse) de chou rouge émincé. Remuer.

Recette de Ève Godin, nutritionniste

1 orange ①

1 pamplemousse ②

Bébés épinards ③
1 litre (4 tasses)

Crabe ④
égoutté
3 boîtes de chair
de 120 g chacune

Vinaigrette asiatique au sésame ⑤
du commerce
80 ml (⅓ de tasse)

Salade de crabe aux agrumes

Préparation : **15 minutes** • Quantité : **4 portions**

Préparation

Prélever les suprêmes de l'orange et du pamplemousse en coupant d'abord les écorces à vif, puis en tranchant de chaque côté des membranes. Déposer dans un saladier.

Ajouter les bébés épinards, la chair de crabe et, si désiré, les graines de sésame dans le saladier.

Verser la vinaigrette sur la salade et remuer délicatement. Servir aussitôt.

PAR PORTION	
Calories	188
Protéines	15 g
Matières grasses	6 g
Glucides	19 g
Fibres	3 g
Fer	1 mg
Calcium	119 mg
Sodium	713 mg

Version maison

Vinaigrette sauce soya et piment d'Espelette

Fouetter 45 ml (3 c. à soupe) d'huile d'olive avec 30 ml (2 c. à soupe) de jus de citron, 5 ml (1 c. à thé) de sauce soya et 5 ml (1 c. à thé) de piment d'Espelette. Saler et poivrer.

FACULTATIF :
➤ **Graines de sésame**
15 ml (1 c. à soupe)

Recette de Ève Godin, nutritionniste

Vin rouge sec ①
125 ml (½ tasse)

Sauce soya ②
réduite en sodium
60 ml (¼ de tasse)

Moutarde de Dijon ③
30 ml (2 c. à soupe)

Bœuf ④
4 filets mignons de
180 g (environ ⅓ de lb)
chacun

Sauce demi-glace ⑤
125 ml (½ tasse)

PRÉVOIR AUSSI:
➤ **Cassonade**
80 ml (⅓ de tasse)

➤ **Ail**
haché
15 ml (1 c. à soupe)

FACULTATIF:
➤ **Thym**
haché
15 ml (1 c. à soupe)

Filets mignons marinés au vin rouge

Préparation : **15 minutes** • Marinage : **15 minutes** • Cuisson : **6 minutes** • Quantité : **4 portions**

Préparation

Dans un bol, mélanger le vin rouge avec la sauce soya, la moutarde de Dijon, la cassonade, l'ail et, si désiré, le thym.

Verser la marinade dans un sac hermétique. Ajouter les filets mignons dans le sac et secouer pour bien enrober la viande de marinade. Laisser mariner de 15 minutes à 1 heure au frais.

Au moment de la cuisson, égoutter les filets mignons et réserver la marinade.

Dans une casserole, verser la marinade et porter à ébullition. Laisser mijoter à feu moyen, jusqu'à ce que la préparation ait réduit de moitié.

Ajouter la sauce demi-glace dans la casserole et porter de nouveau à ébullition. Saler et poivrer. Si désiré, filtrer la sauce. Couvrir la casserole et réserver à feu doux.

Saler et poivrer les filets mignons.

Pour la cuisson au barbecue: sur la grille chaude et huilée, cuire les filets mignons de 3 à 4 minutes de chaque côté à puissance moyenne-élevée pour une cuisson saignante.

Pour la cuisson à la poêle: faire fondre un peu de beurre à feu moyen-élevé dans une poêle. Cuire les filets mignons de 3 à 4 minutes de chaque côté pour une cuisson saignante.

Déposer les filets mignons dans une assiette. Couvrir d'une feuille de papier d'aluminium, sans serrer, et laisser reposer de 3 à 4 minutes. Servir avec la sauce.

PAR PORTION	
Calories	381
Protéines	43 g
Matières grasses	11 g
Glucides	18 g
Fibres	0 g
Fer	6 mg
Calcium	39 mg
Sodium	969 mg

Idée pour accompagner

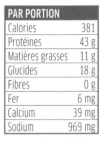

Frites de patates douces

Dans un bol, mélanger 2 grosses patates douces pelées et taillées en bâtonnets avec 45 ml (3 c. à soupe) d'huile d'olive. Saler et poivrer. Répartir les bâtonnets dans un grand plateau en aluminium pour le barbecue ou sur une plaque de cuisson tapissée de papier parchemin, sans les superposer. Cuire sur le barbecue à puissance élevée de 25 à 30 minutes ou au four de 20 à 25 minutes à 190°C (375°F), en retournant les frites à mi-cuisson.

Poulet ①
4 poitrines sans peau

18 à 20 tomates cerises ②
de couleurs variées
coupées en deux

Jambon de Parme ③
8 tranches coupées
en morceaux

12 olives noires ④
dénoyautées

Assaisonnements italiens ⑤
15 ml (1 c. à soupe)

PRÉVOIR AUSSI :
➤ **1 oignon**
haché

Poulet toscan dans le poêlon

Préparation : **15 minutes** • Cuisson : **15 minutes** • Quantité : **4 portions**

Préparation

Préchauffer le four à 180 °C (350 °F).

Dans une poêle allant au four, chauffer un peu d'huile d'olive à feu moyen. Saisir les poitrines de 1 à 2 minutes de chaque côté.

Ajouter l'oignon, puis cuire 1 minute.

Ajouter les tomates cerises, le jambon, les olives et les assaisonnements italiens dans la poêle.

Poursuivre la cuisson au four de 12 à 15 minutes, en retournant les poitrines à mi-cuisson, jusqu'à ce que l'intérieur de la chair du poulet ait perdu sa teinte rosée.

PAR PORTION	
Calories	346
Protéines	50 g
Matières grasses	11 g
Glucides	8 g
Fibres	2 g
Fer	2 mg
Calcium	41 mg
Sodium	1 129 mg

Idée pour accompagner

Pommes de terre à la coriandre

Dans un bol, mélanger 4 pommes de terre et 1 oignon coupés en quartiers avec 30 ml (2 c. à soupe) de sirop d'érable et 5 ml (1 c. à thé) de grains de coriandre. Saler et poivrer. Déposer sur une plaque de cuisson tapissée de papier parchemin. Cuire au four de 25 à 30 minutes à 180 °C (350 °F).

2 oranges ❶

Jambon ❷
16 tranches
coupées en lanières

12 bocconcinis cocktail ❸
tranchés en rondelles

Roquette ❹
500 ml (2 tasses)

1 avocat ❺
coupé en quartiers

PRÉVOIR AUSSI :
➤ **Huile d'olive**
30 ml (2 c. à soupe)

➤ **1 carotte**
râpée

FACULTATIF :
➤ **Graines de citrouille**
rôties
80 ml (⅓ de tasse)

Salade de jambon, roquette et bocconcinis

Préparation : **15 minutes** • Quantité : **4 portions**

Préparation

Au-dessus d'un saladier, presser ½ orange afin d'obtenir 30 ml (2 c. à soupe) de jus.

Ajouter l'huile d'olive dans le saladier et remuer. Prélever les suprêmes des oranges restantes en coupant d'abord l'écorce à vif, puis en tranchant de chaque côté des membranes. Presser les membranes au-dessus du saladier afin de récupérer le jus.

Dans quatre assiettes, répartir les lanières de jambon, les rondelles de bocconcinis et les suprêmes d'orange.

Dans le saladier, ajouter la roquette et la carotte. Poivrer et remuer.

Répartir la salade de roquette au centre de chaque assiette. Ajouter les quartiers d'avocat. Si désiré, garnir de graines de citrouille.

PAR PORTION	
Calories	300
Protéines	18 g
Matières grasses	18 g
Glucides	19 g
Fibres	5 g
Fer	1 mg
Calcium	237 mg
Sodium	581 mg

Idée pour accompagner

Jus de légumes et carottes

Mélanger 500 ml (2 tasses) de jus de légumes avec 250 ml (1 tasse) de jus de carottes et 15 ml (1 c. à soupe) de jus de citron. Ajouter quelques gouttes de tabasco et du sel de céleri. Poivrer.

Veau haché ❶
450 g (1 lb)

Poudre d'amandes ❷
45 ml (3 c. à soupe)

Gingembre ❸
haché
15 ml (1 c. à soupe)

2 courgettes ❹
râpées

6 tomates ❺
coupées en dés

PRÉVOIR AUSSI :
➤ **Échalotes sèches**
(françaises)
hachées
45 ml (3 c. à soupe)

➤ **1 œuf**

FACULTATIF :
➤ **Persil**
haché
45 ml (3 c. à soupe)

➤ **Champignons**
coupés en quatre
1 contenant de 227 g

Boulettes de veau aux tomates

Préparation : **15 minutes** • Cuisson : **13 minutes** • Quantité : **4 portions**

Préparation

Dans un bol, mélanger le veau haché avec la poudre d'amandes, le gingembre, les courgettes, les échalotes, l'œuf et, si désiré, le persil.

Façonner 16 boulettes en utilisant environ 45 ml (3 c. à soupe) de préparation pour chacune d'elles.

Dans une poêle, chauffer un peu d'huile d'olive à feu moyen. Faire dorer les boulettes 3 minutes.

Ajouter les tomates et, si désiré, les champignons. Couvrir et porter à ébullition, puis laisser mijoter à feu doux-moyen de 10 à 12 minutes.

Idée pour accompagner

Riz de chou-fleur

Déposer 1 chou-fleur coupé en bouquets dans le conte-nant du robot culinaire. Donner quelques impulsions, jusqu'à l'obtention d'une texture granuleuse. Dans une poêle, chauffer 30 ml (2 c. à soupe) d'huile d'olive à feu moyen. Cuire 1 oignon haché et 2 gousses d'ail hachées de 1 à 2 minutes. Ajouter le chou-fleur haché, 30 ml (2 c. à soupe) de persil haché et 30 ml (2 c. à soupe) de sar-riette hachée. Saler et poivrer. Cuire de 3 à 4 minutes en remuant.

PAR PORTION	
Calories	265
Protéines	28 g
Matières grasses	11 g
Glucides	16 g
Fibres	5 g
Fer	2 mg
Calcium	67 mg
Sodium	115 mg

Poulet ❶
4 poitrines sans peau

Champignons ❷
coupés en quatre
1 contenant de 227 g

Sauce demi-glace ❸
125 ml (½ tasse)

Crème à cuisson 15 % ❹
180 ml (¾ de tasse)

Moutarde à l'ancienne ❺
30 ml (2 c. à soupe)

PRÉVOIR AUSSI :
➤ **Échalotes sèches**
(françaises)
hachées
60 ml (¼ de tasse)

➤ **Ail**
haché
10 ml (2 c. à thé)

FACULTATIF :
➤ **Thym**
haché
15 ml (1 c. à soupe)

➤ **Persil**
haché
30 ml (2 c. à soupe)

Poulet sauce crémeuse aux champignons

Préparation : **15 minutes** • Cuisson : **10 minutes** • Quantité : **4 portions**

Préparation

Couper chacune des poitrines de poulet en deux sur l'épaisseur.

Dans une poêle, faire fondre un peu de beurre à feu moyen. Cuire les escalopes de poulet de 2 à 3 minutes de chaque côté. Réserver dans une assiette.

Dans la même poêle, cuire les champignons, les échalotes et l'ail de 2 à 3 minutes.

Verser la sauce demi-glace et la crème. Incorporer la moutarde et, si désiré, le thym. Saler et poivrer. Laisser mijoter à feu doux-moyen de 3 à 4 minutes.

Déposer les escalopes de poulet dans la sauce. Prolonger la cuisson de 1 à 2 minutes, jusqu'à ce que l'intérieur de la chair du poulet ait perdu sa teinte rosée.

Si désiré, parsemer de persil au moment de servir.

PAR PORTION	
Calories	262
Protéines	35 g
Matières grasses	10 g
Glucides	8 g
Fibres	1 g
Fer	1 mg
Calcium	69 mg
Sodium	457 mg

Idée pour accompagner

Linguines au beurre et à l'ail

Dans une casserole d'eau bouillante salée, cuire 250 g (environ ½ lb) de linguines *al dente*. Égoutter. Dans une poêle, faire fondre 30 ml (2 c. à soupe) de beurre à feu moyen. Cuire 15 ml (1 c. à soupe) d'ail émincé 1 minute. Ajouter les pâtes et réchauffer de 1 à 2 minutes en remuant. Garnir les pâtes de 30 ml (2 c. à soupe) de persil haché et de 60 ml (¼ de tasse) de parmesan râpé.

Gemellis ①
150 g (⅓ de lb)

6 œufs ②

Brocoli ③
haché
250 ml (1 tasse)

Gruyère ④
râpé
250 ml (1 tasse)

Poivrons rôtis ⑤
émincés
80 ml (⅓ de tasse)

FACULTATIF :
➤ **Ciboulette**
hachée
30 ml (2 c. à soupe)

➤ **Persil**
haché
30 ml (2 c. à soupe)

PRÉVOIR AUSSI :
➤ **Lait de 1 à 2 % M.G.**
125 ml (½ tasse)

Frittata aux gemellis

Préparation : **15 minutes** • Cuisson : **20 minutes** • Quantité : **4 portions**

Préparation

Préchauffer le four à 205 °C (400 °F).

Dans une casserole d'eau bouillante salée, cuire les pâtes *al dente*. Égoutter.

Dans un bol, fouetter les œufs. Ajouter le brocoli, la moitié du gruyère, les poivrons rôtis, le lait et, si désiré, la ciboulette et le persil. Saler et poivrer. Incorporer les pâtes.

Beurrer un plat allant au four, puis y verser la préparation. Couvrir avec le reste du fromage.

Cuire au four de 20 à 25 minutes.

PAR PORTION	
Calories	391
Protéines	23 g
Matières grasses	18 g
Glucides	33 g
Fibres	2 g
Fer	2 mg
Calcium	383 mg
Sodium	265 mg

Idée pour accompagner

Salade de mesclun et mozzarina

Dans un saladier, mélanger 60 ml (¼ de tasse) d'huile d'olive avec 15 ml (1 c. à soupe) de jus de citron et 30 ml (2 c. à soupe) de basilic haché. Saler et poivrer. Ajouter 1 boule de mozzarina de 250 g coupée en morceaux, 250 ml (1 tasse) de mesclun et le contenu de 1 paquet de pousses au choix de 100 g. Remuer.

8 œufs ①

6 radis ②
tranchés finement

Amandes effilées ③
grillées
60 ml (¼ de tasse)

Cresson ④
1 litre (4 tasses)

Vinaigrette italienne ⑤
du commerce
80 ml (⅓ de tasse)

Salade de cresson et d'œufs cuits dur

Préparation : **15 minutes** • Cuisson : **10 minutes** • Quantité : **4 portions**

Préparation

Dans une casserole d'eau froide, déposer les œufs. Porter à ébullition, puis cuire 10 minutes. Rafraîchir sous l'eau froide. Écaler et couper en quartiers.

Dans un saladier, mélanger les radis avec les amandes, le céleri et, si désiré, le persil.

Incorporer le cresson en remuant délicatement.

Ajouter la vinaigrette et remuer. Rectifier l'assaisonnement au besoin.

Répartir la salade dans les assiettes. Garnir de quartiers d'œufs cuits dur.

PAR PORTION	
Calories	290
Protéines	15 g
Matières grasses	23 g
Glucides	7 g
Fibres	1 g
Fer	2 mg
Calcium	88 mg
Sodium	294 mg

Version maison

Vinaigrette italienne aux deux moutardes

Fouetter 45 ml (3 c. à soupe) d'huile d'olive avec 15 ml (1 c. à soupe) de persil haché, 10 ml (2 c. à thé) de vinaigre de vin rouge, 10 ml (2 c. à thé) d'échalotes sèches (françaises) hachées, 5 ml (1 c. à thé) de moutarde de Dijon, 5 ml (1 c. à thé) de moutarde à l'ancienne et 2,5 ml (½ c. à thé) de poudre d'ail. Saler et poivrer.

PRÉVOIR AUSSI :
➤ **Céleri**
2 branches coupées en dés

FACULTATIF :
➤ **Persil**
haché
60 ml (¼ de tasse)

Recette de Ève Godin, nutritionniste

Bœuf ①
4 bavettes de 180 g
(environ ⅓ de lb)
chacune

Marinade teriyaki ②
du commerce
250 ml (1 tasse)

Ail ③
haché
5 ml (1 c. à thé)

2 anis étoilés ④

2 oignons verts ⑤
émincés

Bavette de bœuf marinée à l'orientale

Préparation : **15 minutes** • Marinage : **15 minutes** • Cuisson : **10 minutes** • Quantité : **4 portions**

Préparation

Inciser les deux côtés des bavettes en formant des croix peu profondes.

Dans un sac hermétique, déposer la marinade, l'ail et les anis étoilés. Ajouter les bavettes et secouer pour bien enrober la viande de marinade. Faire mariner de 15 minutes à 1 heure au frais.

Au moment de la cuisson, préchauffer le four à 230°C (450°F). Égoutter les bavettes et jeter la marinade.

Dans une poêle allant au four, chauffer un peu d'huile de sésame (non grillé) à feu moyen-élevé. Saisir deux bavettes à la fois de 1 à 2 minutes de chaque côté, puis terminer la cuisson au four de 8 à 10 minutes.

Déposer les bavettes sur une planche à découper et couvrir d'une feuille de papier d'aluminium, sans serrer. Laisser reposer 5 minutes avant de trancher les bavettes dans le sens contraire des fibres.

Au moment de servir, parsemer d'oignons verts et, si désiré, de graines de sésame.

PAR PORTION	
Calories	372
Protéines	40 g
Matières grasses	18 g
Glucides	11 g
Fibres	1 g
Fer	5 mg
Calcium	69 mg
Sodium	455 mg

Version minceur

Marinade teriyaki

Dans un bol, mélanger 60 ml (¼ de tasse) de sauce soya réduite en sodium avec 60 ml (¼ de tasse) de sauce aux huîtres, 45 ml (3 c. à soupe) de sauce hoisin, 30 ml (2 c. à soupe) de miel, 15 ml (1 c. à soupe) d'huile de sésame (non grillé) et 15 ml (1 c. à soupe) de gingembre haché.

135 CALORIES

Du commerce

Pour 250 ml
(1 tasse)

109 CALORIES

Maison

PRÉVOIR AUSSI :
➤ **Huile de sésame**
(non grillé)
30 ml (2 c. à soupe)

FACULTATIF :
➤ **Graines de sésame grillées**
30 ml (2 c. à soupe)

Plus
de fibres

Puisque les fibres participent à un bon équilibre alimentaire, on a tout intérêt à en consommer suffisamment ou à en intégrer davantage au menu. Surtout qu'elles favorisent la satiété et donc, qu'elles participent au maintien d'un poids santé ! Voici 16 recettes qui fournissent un minimum de 4 g de fibres par portion pour en faire le plein !

Laitue romaine ①
déchiquetée
500 ml (2 tasses)

Maïs ②
125 ml (½ tasse)
de grains

Haricots rouges ③
rincés et égouttés
1 boîte de 540 ml

10 croustilles de maïs ④

Salsa ⑤
250 ml (1 tasse)

Salade taco

Préparation : **15 minutes** • Quantité : **4 portions**

Préparation

Émincer l'oignon rouge et, si désiré, l'avocat.

Déposer la laitue, le maïs, les haricots rouges, l'oignon rouge et, si désiré, l'avocat dans un saladier. Remuer.

Briser les croustilles de maïs en deux et les répartir dans quatre assiettes creuses. Napper de salsa. Garnir de salade aux haricots rouges et, si désiré, de fromage râpé.

Servir immédiatement.

PAR PORTION	
Calories	363
Protéines	15 g
Matières grasses	15 g
Glucides	45 g
Fibres	14 g
Fer	3 mg
Calcium	174 mg
Sodium	749 mg

Idée pour accompagner

Vinaigrette coriandre et lime

Mélanger 60 ml (¼ de tasse) d'huile d'olive avec 45 ml (3 c. à soupe) de coriandre hachée, 30 ml (2 c. à soupe) de vinaigre de vin rouge, 15 ml (1 c. à soupe) de jus de lime, 1 oignon vert haché finement et ½ piment jalapeño épépiné et haché. Poivrer.

FACULTATIF :
➤ **1 avocat**
➤ **Fromage Monterey Jack**
râpé
125 ml (½ tasse)

PRÉVOIR AUSSI :
➤ **¼ d'oignon rouge**

Farfalles ①
340 g (¾ de lb)

1 brocoli ②
taillé en petits
bouquets

Poulet ③
3 poitrines sans peau
coupées en lanières

Jus d'orange ④
125 ml (½ tasse)

Amandes tranchées ⑤
grillées
80 ml (⅓ de tasse)

PRÉVOIR AUSSI :
➤ **Moutarde à
l'ancienne**
30 ml (2 c. à soupe)

Farfalles express au poulet et brocoli

Préparation : **15 minutes** • Cuisson : **10 minutes** • Quantité : **4 portions**

Préparation

Dans une casserole d'eau bouillante salée, cuire les pâtes *al dente*. Ajouter le brocoli dans la casserole 3 minutes avant la fin de la cuisson. Égoutter.

Dans une grande poêle, chauffer un peu d'huile d'olive à feu moyen. Faire dorer les lanières de poulet de 2 à 3 minutes.

Ajouter le jus d'orange et la moutarde à l'ancienne dans la poêle. Remuer et porter à ébullition.

Ajouter les pâtes et le brocoli. Saler et poivrer. Poursuivre la cuisson de 1 à 2 minutes en remuant, jusqu'à ce que l'intérieur de la chair du poulet ait perdu sa teinte rosée.

Répartir les farfalles au poulet dans les assiettes et garnir chaque portion d'amandes.

PAR PORTION	
Calories	528
Protéines	38 g
Matières grasses	11 g
Glucides	70 g
Fibres	5 g
Fer	4 mg
Calcium	48 mg
Sodium	231 mg

Idée pour accompagner

Salade verte à la crème

Dans un saladier, fouetter 60 ml (¼ de tasse) de crème sure avec 30 ml (2 c. à soupe) de jus de citron. Saler et poivrer. Ajouter 1 laitue romaine déchiquetée. Remuer afin d'enrober la salade du mélange de crème sure.

Bacon
6 tranches coupées
en dés

❶

**Bœuf haché
mi-maigre**
450 g (1 lb)

❷

**Macédoine
de légumes**
250 ml (1 tasse)

❸

3 tomates
coupées en dés

❹

**Riz blanc
à grains longs**
125 ml (½ tasse)

❺

PRÉVOIR AUSSI :
➤ 1 **oignon**
haché
➤ **Bouillon de bœuf**
500 ml (2 tasses)

Casserole de bœuf haché et légumes

Préparation : **15 minutes** • Cuisson : **25 minutes** • Quantité : **4 portions**

Préparation

Dans une grande poêle ou dans un wok, cuire le bacon et l'oignon de 2 à 3 minutes à feu moyen. Retirer l'excédent de gras de la poêle.

Ajouter le bœuf haché et la macédoine de légumes. Cuire 5 minutes en remuant, jusqu'à ce que la viande ait perdu sa teinte rosée.

Incorporer les tomates, le riz et le bouillon. Saler et poivrer. Couvrir et laisser mijoter de 18 à 20 minutes à feu doux, jusqu'à ce que le riz soit cuit.

PAR PORTION	
Calories	416
Protéines	29 g
Matières grasses	21 g
Glucides	31 g
Fibres	4 g
Fer	3 mg
Calcium	59 mg
Sodium	630 mg

Idée pour accompagner

Brocoli gratiné

Dans une casserole d'eau bouillante salée, faire blanchir 1 brocoli coupé en petits bouquets de 2 à 3 minutes. Égoutter. Déposer dans un plat de cuisson. Dans un bol, mélanger 45 ml (3 c. à soupe) d'huile d'olive avec 30 ml (2 c. à soupe) de pesto aux tomates séchées. Saler et poivrer. Verser le mélange sur le brocoli et couvrir de 250 ml (1 tasse) de mozzarella râpée. Cuire au four 5 minutes à 180°C (350°F), puis faire gratiner à la position « gril » (*broil*) de 2 à 3 minutes.

60

16 pommes de terre Fingerlings ❶

12 asperges ❷

8 œufs ❸

Mesclun ❹
375 ml (1 ½ tasse)

Saumon fumé ❺
1 paquet de 120 g

Salade nordique au saumon fumé

Préparation : **15 minutes** • Cuisson : **18 minutes** • Quantité : **4 portions**

Préparation

Dans une casserole d'eau bouillante salée, cuire les pommes de terre de 14 à 16 minutes.

Ajouter les asperges dans la casserole et prolonger la cuisson de 4 minutes. Égoutter et laisser tiédir.

Pendant la cuisson des légumes, cuire les œufs 10 minutes dans une casserole d'eau bouillante. Vider l'eau de la casserole. Remplir la casserole d'eau froide pour refroidir les œufs.

Couper les pommes de terre en deux sur la longueur. Écaler les œufs, puis les trancher en rondelles.

Dans les assiettes, déposer les pommes de terre et les asperges. Garnir de mesclun, de tranches d'œufs et de saumon fumé.

PAR PORTION	
Calories	354
Protéines	22 g
Matières grasses	13 g
Glucides	39 g
Fibres	5 g
Fer	4 mg
Calcium	94 mg
Sodium	328 mg

Idée pour accompagner

Vinaigrette crémeuse fines herbes et avocat

Dans le contenant du robot culinaire, déposer 125 ml (½ tasse) de jus d'orange, 80 ml (⅓ de tasse) de yogourt grec nature 0 %, 30 ml (2 c. à soupe) d'aneth haché, 15 ml (1 c. à soupe) de ciboulette hachée et 1 avocat pelé et coupé en cubes. Saler et poivrer. Réduire en une sauce crémeuse et homogène.

Poulet
450 g (1 lb)
de poitrines sans peau
coupées en lanières
1

**Mélange de légumes
surgelés de style
californien**
250 ml (1 tasse)
2

**Sauce tomate aux
fines herbes**
375 ml (1 ½ tasse)
3

Haricots rouges
rincés et égouttés
1 boîte de 540 ml
4

**Assaisonnements
italiens**
15 ml (1 c. à soupe)
5

FACULTATIF :
➤ **Basilic**
30 ml (2 c. à soupe)
de feuilles

Sauté de poulet
aux légumes à l'italienne

Préparation : **15 minutes** • Cuisson : **15 minutes** • Quantité : **4 portions**

Préparation

Dans une poêle, chauffer un peu d'huile d'olive à
feu moyen. Faire dorer les lanières de poulet de 3 à
4 minutes.

Ajouter le mélange de légumes et cuire de 5 à 6 minutes
en remuant.

Ajouter la sauce tomate, les haricots rouges et les assaisonnements italiens. Porter à ébullition, puis cuire de 5 à
6 minutes à feu doux-moyen, jusqu'à ce que l'intérieur
de la chair du poulet ait perdu sa teinte rosée.

Si désiré, parsemer de basilic au moment de servir.

PAR PORTION	
Calories	375
Protéines	49 g
Matières grasses	5 g
Glucides	33 g
Fibres	10 g
Fer	4 mg
Calcium	82 mg
Sodium	619 mg

Idée pour accompagner

Orzo aux fines herbes et noix de pin

Dans une casserole d'eau bouillante salée,
cuire 375 ml (1 ½ tasse) d'orzo *al dente*. Égoutter. Dans la même casserole, faire fondre 30 ml
(2 c. à soupe) de beurre à feu moyen. Saisir 10 ml
(2 c. à thé) d'ail haché avec 15 ml (1 c. à soupe) de noix
de pin, 30 ml (2 c. à soupe) de ciboulette hachée et 30 ml
(2 c. à soupe) de persil haché. Incorporer l'orzo et 60 ml
(¼ de tasse) de parmesan râpé. Saler et poivrer.

Mélange de légumes frais pour sauce à spaghetti
500 ml (2 tasses) **1**

Tomates en dés à l'ail et huile d'olive
1 boîte de 540 ml **2**

16 olives vertes
dénoyautées **3**

Vinaigre balsamique
30 ml (2 c. à soupe) **4**

Tortiglionis
340 g (¾ de lb) **5**

PRÉVOIR AUSSI :
➤ **Basilic**
haché
30 ml (2 c. à soupe)

➤ **Parmesan**
râpé
60 ml (¼ de tasse)

FACULTATIF :
➤ **Noix de pin**
60 ml (¼ de tasse)

Tortiglionis caponata

Préparation : **15 minutes** • Cuisson : **15 minutes** • Quantité : **4 portions**

Préparation

Dans une casserole, chauffer un peu d'huile d'olive à feu moyen. Cuire le mélange de légumes de 2 à 3 minutes en remuant.

Ajouter les tomates en dés, les olives et le vinaigre balsamique. Porter à ébullition, puis couvrir et laisser mijoter de 12 à 15 minutes à feu moyen. Saler et poivrer.

Pendant ce temps, cuire les pâtes *al dente* dans une casserole d'eau bouillante salée. Égoutter.

Répartir les pâtes dans les assiettes. Garnir chaque portion de sauce. Parsemer de basilic, de parmesan et, si désiré, de noix de pin.

PAR PORTION	
Calories	484
Protéines	18 g
Matières grasses	11 g
Glucides	78 g
Fibres	6 g
Fer	3 mg
Calcium	185 mg
Sodium	768 mg

Idée pour accompagner

Pain de maïs

Dans un bol, mélanger 250 ml (1 tasse) de farine de maïs avec 250 ml (1 tasse) de farine blanche tout usage, 10 ml (2 c. à thé) de poudre à pâte, 60 ml (¼ de tasse) de sucre et 2,5 ml (½ c. à thé) de sel. Poivrer. Dans un autre bol, fouetter 2 œufs avec 250 ml (1 tasse) de babeurre et 125 ml (½ tasse) de beurre fondu. Incorporer graduellement ce mélange aux ingrédients secs. Beurrer un moule de 20 cm (8 po), puis y verser la pâte. Cuire au four de 35 à 40 minutes à 190 °C (375 °F).

Jambon ①
coupé en dés
500 ml (2 tasses)

**Riz blanc
à grains longs** ②
250 ml (1 tasse)

Ananas ③
en dés avec le jus
½ boîte de 398 ml

Bouillon de poulet ④
sans sel ajouté
500 ml (2 tasses)

1 poivron rouge ⑤
coupé en dés

FACULTATIF :
➤ **Noix de coco**
non sucrée
râpée

PRÉVOIR AUSSI :
➤ **1 oignon**
haché

➤ **Pois verts**
250 ml (1 tasse)

Casserole de riz hawaïenne

Préparation : **15 minutes** • Cuisson : **25 minutes** • Quantité : **4 portions**

Préparation

Préchauffer le four à 190 °C (375 °F).

Dans une casserole allant au four ou dans une cocotte, chauffer un peu d'huile de canola à feu moyen. Faire dorer les dés de jambon et l'oignon.

Ajouter le riz et cuire 1 minute en remuant.

Ajouter les dés d'ananas et leur jus, le bouillon de poulet, le poivron et, si désiré, la noix de coco et les pois verts. Saler, poivrer et porter à ébullition.

Couvrir et cuire au four de 20 à 30 minutes, jusqu'à ce que le riz soit tendre.

PAR PORTION	
Calories	501
Protéines	19 g
Matières grasses	20 g
Glucides	64 g
Fibres	8 g
Fer	2 mg
Calcium	57 mg
Sodium	827 mg

Idée pour accompagner

Épinards à la crème de cari

Dans une casserole, faire fondre 15 ml (1 c. à soupe) de beurre à feu doux-moyen. Saisir 60 ml (¼ de tasse) d'échalotes sèches (françaises) hachées et 5 ml (1 c. à thé) d'ail haché de 1 à 2 minutes. Verser 125 ml (½ tasse) de crème à cuisson 15 % et porter à ébullition. Ajouter 60 ml (¼ de tasse) de parmesan râpé et 5 ml (1 c. à thé) de cari. Cuire 1 minute. Retirer du feu et incorporer le conte-nu de 1 boîte de bébés épinards de 142 g. Saler et poivrer. Remettre sur le feu et réchauffer 2 minutes en remuant.

**Lentilles vertes
sèches**
250 ml (1 tasse)

1

**Vinaigrette
balsamique**
du commerce
80 ml (⅓ de tasse)

2

Canard
2 cuisses confites

3

2 tomates italiennes
coupées en petits dés

4

Roquette
500 ml (2 tasses)

5

PRÉVOIR AUSSI :
➤ ¼ d'**oignon**
haché
➤ **Ail**
1 gousse pelée

FACULTATIF :
➤ 1 **carotte**
coupée en deux

Salade tiède de lentilles, canard confit et roquette

Préparation : **15 minutes** • Cuisson : **30 minutes** • Quantité : **4 portions**

Préparation

Dans une grande casserole, porter à ébullition 500 ml (2 tasses) d'eau avec les lentilles, l'oignon, l'ail et, si désiré, la carotte. Couvrir et laisser mijoter 20 minutes à feu doux, jusqu'à ce que les lentilles soient cuites. Égoutter.

Préchauffer le four à 180 °C (350 °F).

Déposer les lentilles dans un bol, puis jeter la gousse d'ail et la carotte. Verser la moitié de la vinaigrette sur les lentilles et remuer.

Déposer les cuisses de canard sur une plaque de cuisson tapissée de papier parchemin. Cuire au four de 12 à 15 minutes. Retirer du four et laisser tiédir. Retirer la peau des cuisses et effilocher la chair.

Déposer le canard effiloché dans un bol avec les tomates et le reste de la vinaigrette. Poivrer généreusement. Remuer.

Répartir les lentilles dans quatre assiettes. Couvrir du mélange de canard et de tomates. Garnir de roquette et napper d'un filet d'huile d'olive.

PAR PORTION	
Calories	414
Protéines	21 g
Matières grasses	28 g
Glucides	19 g
Fibres	4 g
Fer	3 mg
Calcium	66 mg
Sodium	499 mg

Version maison

Vinaigrette balsamique express

Dans un bol, mélanger 30 ml (2 c. à soupe) d'huile d'olive avec 15 ml (1 c. à soupe) de vinaigre balsamique, 30 ml (2 c. à soupe) de bouillon de poulet et 1,25 ml (¼ de c. à thé) de sel. Chauffer 30 secondes au micro-ondes à puissance élevée.

Recette de Ève Godin, nutritionniste

2 oignons ❶
hachés

Ail ❷
2 gousses émincées

**Tomates en dés
aux fines herbes** ❸
1 boîte de 796 ml

Spaghettis ❹
340 g (¾ de lb)

Parmesan ❺
râpé
125 ml (½ tasse)

PRÉVOIR AUSSI :
➤ **Sucre**
15 ml (1 c. à soupe)

Spaghettis marinara

Préparation : **15 minutes** • Cuisson : **25 minutes** • Quantité : **4 portions**

Préparation

Dans une casserole, chauffer un peu d'huile d'olive à feu moyen. Cuire les oignons et l'ail de 2 à 3 minutes.

Ajouter les tomates en dés et le sucre. Saler et poivrer. Couvrir et cuire de 25 à 30 minutes à feu doux-moyen en remuant de temps en temps.

Environ 10 minutes avant la fin de la cuisson de la sauce, cuire les pâtes *al dente* dans une casserole d'eau bouillante salée. Égoutter.

Répartir les pâtes dans les assiettes et napper de sauce. Parsemer de parmesan.

PAR PORTION	
Calories	542
Protéines	19 g
Matières grasses	12 g
Glucides	89 g
Fibres	6 g
Fer	3 mg
Calcium	275 mg
Sodium	772 mg

Idée pour accompagner

Pain grillé à l'ail

Couper la moitié de 1 baguette de pain en 12 croûtons. Mélanger 60 ml (¼ de tasse) d'huile d'olive avec 5 ml (1 c. à thé) de persil séché et 5 ml (1 c. à thé) d'ail haché. Badigeonner les deux côtés des croûtons avec l'huile parfumée et déposer sur une plaque de cuisson tapissée de papier parchemin. Faire griller au four de 8 à 10 minutes à 190 °C (375 °F).

5 à 6 patates douces ①

**Bœuf haché
mi-maigre**
605 g (1 ⅓ lb) ②

Maïs ③
375 ml (1 ½ tasse)
de grains

Maïs en crème ④
1 boîte de 398 ml

Cheddar ⑤
râpé
250 ml (1 tasse)

PRÉVOIR AUSSI :
➤ 1 **oignon**
haché
➤ **Lait**
125 ml (½ tasse)

FACULTATIF :
➤ 2 **carottes**
râpées
➤ 1 **poivron rouge**
coupé en dés

Pâté chinois gratiné à la patate douce

Préparation : **15 minutes** • Cuisson : **40 minutes** • Quantité : **6 portions**

Préparation

Préchauffer le four à 180 °C (350 °F).

Peler les patates douces, puis les tailler en cubes. Déposer dans une casserole et couvrir d'eau froide salée. Porter à ébullition, puis cuire de 18 à 20 minutes, jusqu'à tendreté. Égoutter.

Pendant ce temps, chauffer un peu d'huile d'olive à feu moyen dans une poêle. Faire revenir le bœuf haché de 2 à 3 minutes en égrainant la viande à l'aide d'une cuillère en bois.

Ajouter l'oignon et, si désiré, les carottes et le poivron dans la poêle. Saler et poivrer. Laisser mijoter 15 minutes, en remuant de temps en temps.

Transférer la préparation à la viande dans un plat de cuisson de 20 cm (8 po). Couvrir de maïs en grains et de maïs en crème.

Réduire les patates douces en purée avec le lait et un peu de beurre. Saler et poivrer.

Répartir la purée de patates douces sur le maïs, puis parsemer de cheddar.

Cuire au four de 20 à 25 minutes, jusqu'à ce que le fromage gratine.

Idée pour accompagner

Champignons poêlés aux fines herbes

Dans une poêle, chauffer 45 ml (3 c. à soupe) d'huile d'olive à feu moyen. Saisir 1 oignon émincé, 60 ml (¼ de tasse) de noix de pin et 10 ml (2 c. à thé) d'ail haché de 1 à 2 minutes. Ajouter 675 g (environ 1 ½ lb) de champignons coupés en quatre. Cuire de 2 à 3 minutes en remuant de temps en temps. Ajouter 30 ml (2 c. à soupe) de persil haché, 15 ml (1 c. à soupe) d'estragon haché et 15 ml (1 c. à soupe) de jus de citron. Cuire 1 minute.

PAR PORTION	
Calories	513
Protéines	29 g
Matières grasses	24 g
Glucides	49 g
Fibres	6 g
Fer	3 mg
Calcium	204 mg
Sodium	592 mg

Photo maïs en crème : Shutterstock.

Salami
coupé en tranches
100 g (3 ½ oz) ❶

Pois chiches ❷
rincés et égouttés
1 boîte de 540 ml

Brocoli ❸
coupé en petits
bouquets
375 ml (1 ½ tasse)

Tomates séchées ❹
émincées
80 ml (⅓ de tasse)

Vinaigrette ❺
méditerranéenne
du commerce
80 ml (⅓ de tasse)

PRÉVOIR AUSSI :
➤ ½ **oignon rouge**
émincé

Salade de pois chiches, brocoli et salami

Préparation : **15 minutes** • Quantité : **4 portions**

Préparation

Dans un saladier, mélanger le salami avec les pois chiches, le brocoli, les tomates séchées et l'oignon rouge. Saler et poivrer.

Ajouter la vinaigrette et remuer.

PAR PORTION	
Calories	362
Protéines	14 g
Matières grasses	19 g
Glucides	40 g
Fibres	8 g
Fer	2 mg
Calcium	68 mg
Sodium	1 447 mg

Version maison

Vinaigrette moutarde et pesto

Mélanger 60 ml (¼ de tasse) d'huile d'olive avec 30 ml (2 c. à soupe) de moutarde à l'ancienne, 30 ml (2 c. à soupe) de jus de citron, 30 ml (2 c. à soupe) d'origan haché, 15 ml (1 c. à soupe) de pesto, 10 ml (2 c. à thé) d'ail haché et 5 ml (1 c. à thé) de piment d'Espelette. Saler.

Pois chiches ❶
rincés et égouttés
180 ml (¾ de tasse)

Dindon haché ❷
340 g (¾ de lb)

Compote de pommes ❸
30 ml (2 c. à soupe)

Moutarde de Dijon ❹
15 ml (1 c. à soupe)

4 pains à hamburger ❺

PRÉVOIR AUSSI :
➤ **Piment de Cayenne**
2,5 ml (½ c. à thé)

➤ **Ail**
1 gousse hachée
finement

Burger de dindon et pois chiches

Préparation : **15 minutes** • Cuisson : **10 minutes** • Quantité : **4 portions**

Préparation

Dans un bol, déposer les pois chiches et les écraser grossièrement à l'aide d'une fourchette.

Incorporer le dindon, la compote de pommes, la moutarde de Dijon, le piment de Cayenne et l'ail.

Pour la cuisson au barbecue, le préchauffer à puissance moyenne.

Façonner quatre galettes avec la préparation au dindon et pois chiches.

Pour la cuisson au barbecue : sur la grille chaude et huilée, cuire les galettes de 4 à 5 minutes de chaque côté, jusqu'à ce que l'intérieur des galettes ait perdu sa teinte rosée.

Pour la cuisson à la poêle : chauffer un peu d'huile de canola à feu moyen dans une poêle. Cuire les galettes 5 minutes de chaque côté, jusqu'à ce que l'intérieur des galettes ait perdu sa teinte rosée.

Diviser les pains en deux et les faire griller 1 minute de chaque côté sur la grille du barbecue ou au four à la position « gril » (*broil*).

Garnir les pains d'une galette de dindon. Si désiré, ajouter les garnitures à burger présentées ci-dessous.

PAR PORTION	
Calories	358
Protéines	26 g
Matières grasses	9 g
Glucides	40 g
Fibres	6 g
Fer	3 mg
Calcium	110 mg
Sodium	430 mg

Idée pour accompagner

Garnitures à burger

Dans un bol, mélanger 60 ml (¼ de tasse) de mayonnaise légère avec 10 ml (2 c. à thé) de sambal oelek. Garnir les pains de mayonnaise au sambal oelek, de laitue, de gruyère ou d'emmenthal et de tranches de tomate.

Recette de Ève Godin, nutritionniste

Poulet ❶
755 g (1 ⅔ lb) de
poitrines sans peau
coupées en cubes

Garam masala ❷
15 ml (1 c. à soupe)

**Tomates en dés à l'ail
et huile d'olive** ❸
1 boîte de 796 ml

**Yogourt nature
1 à 2 %** ❹
125 ml (½ tasse)

Pois chiches ❺
rincés et égouttés
1 boîte de 540 ml

PRÉVOIR AUSSI :
➤ 1 **oignon**
haché

➤ **Gingembre**
haché
15 ml (1 c. à soupe)

FACULTATIF :
➤ **Coriandre**
30 ml (2 c. à soupe)
de feuilles

Cari de poulet épicé au yogourt

Préparation : **15 minutes** • Cuisson : **25 minutes** • Quantité : **4 portions**

Préparation

Dans une casserole, chauffer un peu d'huile de canola
à feu moyen. Faire dorer les cubes de poulet de 2 à
3 minutes.

Ajouter le garam masala, l'oignon et le gingembre. Saler.
Cuire 1 minute.

Ajouter les tomates et cuire 20 minutes à feu doux-
moyen, jusqu'à ce que l'intérieur de la chair du poulet
ait perdu sa teinte rosée.

Ajouter le yogourt et les pois chiches. Porter à ébullition,
puis retirer du feu.

Si désiré, parsemer chacune des portions de coriandre
au moment de servir.

PAR PORTION	
Calories	498
Protéines	55 g
Matières grasses	10 g
Glucides	46 g
Fibres	7 g
Fer	5 mg
Calcium	216 mg
Sodium	697 mg

Idée pour accompagner

Pain naan au paprika fumé

Dans un bol, mélanger 15 ml (1 c. à
soupe) de beurre fondu avec 2,5 ml
(½ c. à thé) de curcuma et 2,5 ml (½ c. à
thé) de paprika fumé. Badigeonner un seul
côté de 3 pains naan avec la préparation. Couper
chaque pain en quatre morceaux. Déposer sur une plaque de
cuisson tapissée de papier parchemin et faire griller au four
de 5 à 8 minutes à 205 °C (400 °F).

Pennes ①
340 g (¾ de lb)

Mélange de légumes surgelés de style italien ②
750 ml (3 tasses)

Tomates ③
coupées en dés
500 ml (2 tasses)

Thon ④
égoutté
2 boîtes de 170 g
chacune

Mozzarella ⑤
râpée
500 ml (2 tasses)

FACULTATIF :
➤ **Cœurs d'artichauts**
égouttés et émincés
1 boîte de 398 ml

➤ **Feta**
coupée en dés
½ contenant
de 200 g

PRÉVOIR AUSSI :
➤ **Olives Kalamata**
tranchées
60 ml (¼ de tasse)

Gratin de pennes au thon

Préparation : **15 minutes** • Cuisson : **30 minutes** • Quantité : **6 portions**

Préparation

Préchauffer le four à 205 °C (400 °F).

Dans une casserole d'eau bouillante salée, cuire les pâtes *al dente*. Égoutter.

Dans une autre casserole, chauffer un peu d'huile d'olive à feu moyen. Cuire le mélange de légumes, les olives et, si désiré, les cœurs d'artichauts de 3 à 4 minutes en remuant.

Ajouter les tomates et le thon. Porter à ébullition.

Ajouter les pâtes et, si désiré, la feta. Poivrer et remuer.

Transférer la préparation dans un plat de cuisson de 20 cm (8 po). Couvrir de mozzarella, puis cuire au four de 20 à 25 minutes.

Idée pour accompagner

Pailles au parmesan

Sur une surface farinée, abaisser 250 g (environ ½ lb) de pâte feuilletée en un rectangle de 25 cm x 15 cm (10 po x 6 po). Badigeonner la pâte avec 1 jaune d'œuf battu. Saupoudrer de 125 ml (½ tasse) de parmesan râpé et de 15 ml (1 c. à soupe) de thym haché. Saler et poivrer. Presser légèrement afin que les ingrédients adhèrent à la pâte. Tailler la pâte en bandes de 1,5 cm (environ ½ po) de largeur. Tourner chaque bande de pâte sur elle-même afin de lui donner la forme d'une vrille. Déposer les pailles sur une plaque de cuisson tapissée de papier parchemin. Cuire au four de 15 à 20 minutes à 180 °C (350 °F), jusqu'à ce que les pailles soient dorées et croustillantes.

PAR PORTION	
Calories	531
Protéines	36 g
Matières grasses	16 g
Glucides	61 g
Fibres	6 g
Fer	3 mg
Calcium	379 mg
Sodium	999 mg

Riz sauvage ①
250 ml (1 tasse)

Vinaigrette balsamique ②
du commerce
125 ml (½ tasse)

Edamames ③
cuits
180 ml (¾ de tasse)

Pacanes ④
grillées
125 ml (½ tasse)

1 pomme verte ⑤
non pelée
et coupée en dés

PRÉVOIR AUSSI :
➤ **Céleri**
coupé en dés
60 ml (¼ de tasse)

➤ **2 oignons verts**
hachés

Salade de riz sauvage aux pommes et noix

Préparation : **15 minutes** • Cuisson : **45 minutes** • Quantité : **4 portions**

Préparation

À l'aide d'une passoire fine, rincer le riz sauvage sous l'eau froide. Déposer le riz dans une casserole et verser 1 litre (4 tasses) d'eau. Porter à ébullition. Couvrir et laisser mijoter de 45 à 50 minutes à feu doux, jusqu'à ce que le riz soit cuit, sans être éclaté. Égoutter, puis laisser tiédir.

Dans un saladier, verser la vinaigrette. Ajouter le reste des ingrédients et remuer.

PAR PORTION	
Calories	495
Protéines	16 g
Matières grasses	29 g
Glucides	49 g
Fibres	7 g
Fer	3 mg
Calcium	79 mg
Sodium	319 mg

Version maison

Vinaigrette balsamique au sirop d'érable

Mélanger 45 ml (3 c. à soupe) de vinaigre balsamique avec 45 ml (3 c. à soupe) de sirop d'érable, 30 ml (2 c. à soupe) de jus d'orange, 15 ml (1 c. à soupe) d'huile d'olive, 5 ml (1 c. à thé) de sauce soya réduite en sodium et 1 gousse d'ail hachée finement. Poivrer.

FACULTATIF :
➤ **Graines de citrouille**
60 ml (¼ de tasse)

➤ **Canneberges séchées**
45 ml (3 c. à soupe)

Recette de Ève Godin, nutritionniste

4 tomates ①
coupées en dés

Maïs ②
250 ml (1 tasse)
de grains

Haricots blancs ③
rincés et égouttés
1 boîte de 540 ml

Cheddar jaune ④
râpé
125 ml (½ tasse)

4 petites tortillas ⑤

PRÉVOIR AUSSI :
➤ 1 **poivron vert**
coupé en dés
➤ **Cumin**
5 ml (1 c. à thé)

FACULTATIF :
➤ **Coriandre**
hachée
30 ml (2 c. à soupe)

Tortillas à la mexicaine

Préparation : **15 minutes** • Cuisson : **15 minutes** • Quantité : **4 portions**

Préparation

Dans une poêle, chauffer un peu d'huile d'olive à feu moyen. Cuire les tomates, le poivron et le cumin de 2 à 3 minutes. Saler et poivrer.

Incorporer le maïs et, si désiré, la coriandre. Porter à ébullition. Laisser mijoter 10 minutes à feu doux, jusqu'à absorption complète du liquide. Laisser tiédir.

Pendant ce temps, écraser les haricots blancs à l'aide d'une fourchette. Saler et poivrer.

Répartir la purée de haricots blancs, la préparation aux légumes et le fromage sur la moitié de chacune des tortillas. Refermer les tortillas de manière à former des demi-lunes.

Dans une autre poêle, chauffer un peu d'huile de canola à feu moyen. Faire dorer les tortillas 1 minute de chaque côté, jusqu'à ce que le fromage ait fondu.

Couper chaque demi-lune en trois pointes.

PAR PORTION	
Calories	363
Protéines	19 g
Matières grasses	8 g
Glucides	57 g
Fibres	10 g
Fer	5 mg
Calcium	217 mg
Sodium	531 mg

Idée pour accompagner

Salsa maison

Tailler ½ oignon rouge, 1 tomate et ½ poivron rouge en dés. Mélanger avec 30 ml (2 c. à soupe) de coriandre hachée, 30 ml (2 c. à soupe) de sauce chili, 15 ml (1 c. à soupe) de jus de lime, 5 ml (1 c. à thé) d'ail haché et 1,25 ml (¼ de c. à thé) de chipotle. Saler et remuer.

Sans sucre ajouté

Le sucre ajouté trouve refuge dans de nombreux produits transformés. Comme on en consomme beaucoup, il est important de rééduquer notre dent sucrée et de ramener notre apport quotidien à une quantité raisonnable... et saine! Voici donc des recettes savoureuses qui aideront votre palais à s'accoutumer à une alimentation moins sucrée.

Citron
30 ml (2 c. à soupe)
de jus

1

Câpres
30 ml (2 c. à soupe)

2

Ciboulette
hachée
15 ml (1 c. à soupe)

3

Moutarde de Dijon
15 ml (1 c. à soupe)

4

Saumon
450 g (1 lb) de filets
la peau enlevée

5

PRÉVOIR AUSSI :
➤ **Huile d'olive**
45 ml (3 c. à soupe)
➤ **Échalotes sèches**
(françaises)
hachées
30 ml (2 c. à soupe)

FACULTATIF :
➤ **Tabasco**
2,5 ml (½ c. à thé)
➤ **Micropousses**
au choix
60 ml (¼ de tasse)

Tartare de saumon classique

Préparation : **15 minutes** • Quantité : **4 portions (en plat principal)**

Préparation

Dans un bol, mélanger le jus de citron avec les câpres, la ciboulette, la moutarde de Dijon, l'huile d'olive, les échalotes et, si désiré, le tabasco.

Tailler le saumon en petits dés. Ajouter les dés de saumon dans le bol. Saler, poivrer et remuer. Rectifier l'assaisonnement au besoin.

Déposer un emporte-pièce d'environ 7,5 cm (3 po) de diamètre dans une assiette. Remplir de tartare et presser avec le dos d'une cuillère pour égaliser la surface. Démouler délicatement. Répéter afin de former les autres portions.

Si désiré, décorer chaque tartare de micropousses. Servir immédiatement.

PAR PORTION	
Calories	263
Protéines	23 g
Matières grasses	18 g
Glucides	2 g
Fibres	1 g
Fer	1 mg
Calcium	21 mg
Sodium	259 mg

Idée pour accompagner

Salade de roquette, agrumes et fenouil

Dans un saladier, mélanger 45 ml (3 c. à soupe) d'huile d'olive avec 30 ml (2 c. à soupe) de vinaigre balsamique blanc. Saler et poivrer. Ajouter ¼ d'oignon rouge émincé, ½ bulbe de fenouil émincé et les suprêmes de 2 oranges. Remuer. Au moment de servir, incorporer 500 ml (2 tasses) de roquette.

Poulet aux champignons, sauce à la crème

Préparation : **15 minutes** • Cuisson : **10 minutes** • Quantité : **4 portions**

Préparation

Dans une poêle, faire fondre un peu de beurre à feu moyen. Cuire les lanières de poulet quelques minutes jusqu'à ce que l'intérieur de la chair ait perdu sa teinte rosée. Saler et poivrer.

Ajouter les champignons, l'échalote et, si désiré, les haricots verts. Poursuivre la cuisson 2 minutes. Réserver dans une assiette.

Dans la même poêle, verser le vin blanc et laisser mijoter 5 minutes.

Ajouter la crème, les tomates séchées et le basilic. Laisser réduire 3 minutes.

Ajouter le poulet et les légumes réservés dans la poêle. Réchauffer 1 minute.

PAR PORTION	
Calories	346
Protéines	37 g
Matières grasses	16 g
Glucides	9 g
Fibres	3 g
Fer	1 mg
Calcium	35 mg
Sodium	238 mg

Hauts de cuisses ①
(ou poitrines de poulet sans peau)
désossés et coupés
en lanières
600 g (environ 1 ⅓ lb)

Champignons ②
coupés en dés
250 ml (1 tasse)

Vin blanc ③
80 ml (⅓ de tasse)

Crème à cuisson 35 % ④
125 ml (½ tasse)

Tomates séchées ⑤
hachées
45 ml (3 c. à soupe)

PRÉVOIR AUSSI :
➤ 1 **échalote sèche**
(française)
hachée

➤ **Basilic**
haché
15 ml (1 c. à soupe)

FACULTATIF :
➤ **Haricots verts**
225 g (½ lb)

Idée pour accompagner

Linguines à l'ail et au parmesan

Dans une casserole d'eau bouillante salée, cuire 250 g (environ ½ lb) de linguines *al dente*. Égoutter. Dans une poêle, chauffer 30 ml (2 c. à soupe) d'huile d'olive à feu moyen. Cuire 15 ml (1 c. à soupe) d'ail haché 1 minute. Ajouter les pâtes et réchauffer de 1 à 2 minutes en remuant. Garnir les pâtes de 30 ml (2 c. à soupe) de basilic haché et de 60 ml (¼ de tasse) de parmesan râpé. Saler et poivrer.

Porc 1

8 côtelettes de
longe de 70 g
(environ 2 ½ oz)
chacune

18 tomates cerises 2

de couleurs variées
coupées en deux

1 poivron jaune 3

émincé

12 olives Kalamata 4

Feta 5

émiettée
100 g (3 ½ oz)

PRÉVOIR AUSSI :
➤ ½ **oignon rouge**
émincé

FACULTATIF :
➤ **Menthe**
12 feuilles

94

Côtelettes de porc à la grecque

Préparation : **15 minutes** • Cuisson : **6 minutes** • Quantité : **4 portions**

Préparation

Dans une poêle, chauffer un peu d'huile d'olive à feu moyen. Saisir les côtelettes 2 minutes de chaque côté.

Ajouter les tomates cerises, le poivron, les olives et l'oignon rouge. Saler et poivrer. Couvrir et cuire de 2 à 3 minutes.

Au moment de servir, parsemer de feta et, si désiré, de feuilles de menthe.

PAR PORTION	
Calories	313
Protéines	31 g
Matières grasses	17 g
Glucides	7 g
Fibres	1 g
Fer	2 mg
Calcium	157 mg
Sodium	609 mg

Idée pour accompagner

Pommes de terre à la grecque

Dans un bol, mélanger de 4 à 6 pommes de terre coupées en quartiers avec 30 ml (2 c. à soupe) d'huile d'olive, 15 ml (1 c. à soupe) de grains de coriandre, 15 ml (1 c. à soupe) de zestes de citron, 30 ml (2 c. à soupe) d'origan haché et 2 gousses d'ail émincées. Saler et poivrer. Déposer les pommes de terre sur une plaque de cuisson tapissée d'une feuille de papier parchemin. Cuire au four de 20 à 25 minutes à 190 °C (375 °F), en retournant les pommes de terre à mi-cuisson.

Poulet ①
2 poitrines
sans peau de 200 g
(environ ½ lb) chacune

Yogourt nature 0 % ②
80 ml (⅓ de tasse)

1 pomme verte ③
coupée en dés

Raisins rouges ④
coupés en deux
250 ml (1 tasse)

1 laitue romaine ⑤
déchiquetée
grossièrement

PRÉVOIR AUSSI :
➤ **Cari**
10 ml (2 c. à thé)
➤ **Moutarde de Dijon**
5 ml (1 c. à thé)

FACULTATIF :
➤ 1 **lime**
15 ml (1 c. à soupe)
de zestes + 30 ml
(2 c. à soupe) de jus
➤ **Amandes effilées**
rôties
125 ml (½ tasse)

Salade de poulet et raisins, sauce crémeuse au cari

Préparation : **15 minutes** • Cuisson : **10 minutes** • Quantité : **4 portions**

Préparation

Dans une casserole d'eau bouillante légèrement salée, faire pocher le poulet à découvert et à feu doux de 10 à 12 minutes, jusqu'à ce que l'intérieur de la chair ait perdu sa teinte rosée. Égoutter sur du papier absorbant et laisser tiédir.

Dans un saladier, mélanger le yogourt avec le cari, la moutarde de Dijon et, si désiré, les zestes et le jus de lime.

Ajouter la pomme, les raisins et, si désiré, les amandes dans le saladier. Saler et poivrer.

Couper les poitrines de poulet en cubes et les ajouter dans le saladier. Remuer.

Répartir la laitue romaine dans les assiettes. Garnir de salade de poulet.

Option santé

Vous vous êtes lancé le défi de consommer moins de sucre ? Laissez-vous surprendre par cette délicieuse salade de poulet sans sucre ajouté ! En plus d'être faible en calories, elle est également une source élevée de fibres et contient peu de sodium : elle est toute désignée pour maintenir vos artères en santé !

PAR PORTION	
Calories	235
Protéines	17 g
Matières grasses	11 g
Glucides	20 g
Fibres	4 g
Fer	2 mg
Calcium	118 mg
Sodium	62 mg

Pennes de blé entier ①
1 boîte de 375 g

Chou kale ②
tiges retirées
et feuilles hachées
grossièrement
½ botte

Thon ③
dans l'eau, égoutté
2 boîtes de 170 g
chacune

Persil ④
haché
60 ml (¼ de tasse)

1 citron ⑤
zeste et jus

PRÉVOIR AUSSI :
➤ **1 oignon**
haché

➤ **Ail**
1 gousse hachée
finement

Pâtes de blé entier au thon, chou kale et citron

Préparation : **15 minutes** • Cuisson : **10 minutes** • Quantité : **4 portions**

Préparation

Dans une casserole d'eau bouillante salée, cuire les pâtes *al dente*. Égoutter en réservant 125 ml (½ tasse) d'eau de cuisson.

Dans une grande poêle, chauffer un peu d'huile d'olive à feu moyen. Cuire l'oignon 5 minutes, jusqu'à ce qu'il soit tendre.

Ajouter le chou kale et cuire 5 minutes, jusqu'à ce qu'il soit tombé.

Ajouter les pâtes, le thon, le persil, le zeste et le jus du citron ainsi que l'ail. Mélanger, puis verser un peu d'eau de cuisson pour allonger la préparation. Servir immédiatement.

PAR PORTION	
Calories	477
Protéines	31 g
Matières grasses	10 g
Glucides	74 g
Fibres	9 g
Fer	4 mg
Calcium	84 mg
Sodium	50 mg

Idée pour accompagner

Salade de tomates et feta

Dans un saladier, fouetter 30 ml (2 c. à soupe) d'huile d'olive avec 15 ml (1 c. à soupe) de jus de citron, 10 ml (2 c. à thé) de zestes de citron, 10 ml (2 c. à thé) de persil haché, 15 ml (1 c. à soupe) de basilic haché, 15 ml (1 c. à soupe) de menthe hachée et 5 ml (1 c. à thé) d'ail haché. Saler et poivrer. Ajouter 250 g (environ ½ lb) de tomates cerises de couleurs variées coupées en deux, ¼ d'oignon rouge émincé et 100 g (3 ½ oz) de feta coupée en dés.

Recette de Ève Godin, nutritionniste

Beurre demi-sel ❶
ramolli
125 ml (½ tasse)

Basilic ❷
haché
45 ml (3 c. à soupe)

Persil ❸
haché
45 ml (3 c. à soupe)

Bœuf ❹
4 contre-filets de 180 g
(environ ⅓ de lb)
chacun et d'environ
2 cm (¾ de po)
d'épaisseur

Épices à bifteck ❺
15 ml (1 c. à soupe)

PRÉVOIR AUSSI :
➤ **Échalotes sèches**
(françaises)
hachées
45 ml (3 c. à soupe)
➤ **Moutarde de Dijon**
2,5 ml (½ c. à thé)

FACULTATIF :
➤ **Citron**
15 ml (1 c. à soupe)
de zestes

Steaks New York
et beurre aux fines herbes

Préparation : **15 minutes** • Réfrigération : **1 heure**
Cuisson : **6 minutes** • Quantité : **4 portions**

Préparation

Mélanger le beurre avec le basilic, le persil, les échalotes,
la moutarde de Dijon et, si désiré, les zestes de citron.
Déposer au centre d'une pellicule plastique. À l'aide de
la pellicule, façonner le beurre en cylindre. Nouer à
chaque extrémité de la pellicule. Réfrigérer 1 heure.

Au moment de la cuisson, badigeonner les steaks avec
un peu d'huile d'olive, puis frotter la chair avec les
épices. Presser légèrement afin que les épices adhèrent
à la chair.

Pour la cuisson au barbecue : préchauffer le barbecue à
puissance moyenne-élevée. Sur la grille chaude et huilée,
cuire les steaks de 3 à 4 minutes de chaque côté pour
une cuisson saignante.

Pour la cuisson à la poêle : chauffer un peu d'huile d'olive
à feu moyen-élevé. Cuire les steaks de 3 à 4 minutes
de chaque côté pour une cuisson saignante.

Déposer les steaks dans une assiette. Couvrir de papier
d'aluminium, sans serrer. Laisser reposer de 3 à 4 minutes.

Pendant ce temps, trancher le beurre aux fines herbes
en dix rondelles. Garnir chaque steak d'une rondelle.

PAR PORTION	
Calories	499
Protéines	41 g
Matières grasses	36 g
Glucides	2 g
Fibres	0 g
Fer	4 mg
Calcium	32 mg
Sodium	414 mg

Idée pour accompagner

Pommes de terre farcies gratinées

Dans une casserole d'eau froide salée,
déposer de 6 à 8 pommes de terre avec
pelure. Porter à ébullition, puis cuire de
18 à 20 minutes. Couper le tiers supérieur des
pommes de terre et les évider en prenant soin de ne
pas percer la pelure. Mélanger la chair avec 3 oignons verts
hachés et 60 ml (¼ de tasse) de crème sure. Saler et poivrer.
Garnir les pommes de terre évidées avec la préparation.
Parsemer de 125 ml (½ tasse) de cheddar râpé. Déposer dans
un plat de cuisson et faire gratiner au four de 15 à 20 minutes
à 205 °C (400 °F).

Beurre d'arachide naturel
60 ml (¼ de tasse) ❶

Lime
30 ml (2 c. à soupe) de jus ❷

Lait de coco sans sucre ajouté
de type Thai Kitchen
250 ml (1 tasse) ❸

Porc
680 g (1 ½ lb) de filets ❹

½ ananas
coupé en cubes de 2 cm (¾ de po) ❺

PRÉVOIR AUSSI :

➤ **Sauce soya sans sucre**
de type Kikkoman
30 ml (2 c. à soupe)

➤ **Ail**
haché
10 ml (2 c. à thé)

FACULTATIF :

➤ **Graines de sésame**
15 ml
(1 c. à soupe)

Brochettes de porc à l'ananas, sauce à l'arachide

Préparation : **15 minutes** • Marinage : **30 minutes** • Cuisson : **12 minutes**
Quantité : **4 portions (8 brochettes)**

Préparation

Délayer le beurre d'arachide dans le jus de lime et la sauce soya. Incorporer le lait de coco et l'ail.

Parer les filets de porc en retirant la membrane blanche. Couper les filets en cubes d'environ 2 cm (¾ de po).

Dans un sac hermétique, verser le tiers de la sauce-marinade. Ajouter les cubes de porc et d'ananas dans le sac et secouer. Laisser mariner de 30 minutes à 4 heures au frais. Réserver le reste de la sauce-marinade au frais. Elle servira de sauce d'accompagnement.

Au moment de la cuisson, préchauffer le barbecue à puissance moyenne-élevée ou le four à 205 °C (400 °F). Égoutter le porc et l'ananas. Jeter la marinade.

Assembler huit brochettes en faisant alterner les cubes de porc et d'ananas.

Pour la cuisson au barbecue : sur la grille chaude et huilée, déposer les brochettes. Fermer le couvercle et cuire de 12 à 15 minutes, en retournant les brochettes en cours de cuisson.

Pour la cuisson au four : déposer les brochettes sur une plaque de cuisson tapissée de papier d'aluminium. Cuire de 12 à 15 minutes, en retournant les brochettes à mi-cuisson.

Dans une casserole, porter à ébullition le reste de la sauce-marinade à feu doux-moyen, puis laisser mijoter de 3 à 4 minutes.

Répartir les brochettes dans les assiettes. Napper de sauce chaude ou servir celle-ci en à-côté. Si désiré, parsemer les brochettes de graines de sésame.

PAR PORTION	
2 brochettes	
Calories	417
Protéines	43 g
Matières grasses	21 g
Glucides	16 g
Fibres	3 g
Fer	4 mg
Calcium	66 mg
Sodium	581 mg

Idée pour accompagner

Laitue romaine aux câpres et zestes de citron

Dans un saladier, mélanger 60 ml (¼ de tasse) d'huile d'olive avec 15 ml (1 c. à soupe) de zestes de citron, 15 ml (1 c. à soupe) de jus de citron, 15 ml (1 c. à soupe) de câpres et 30 ml (2 c. à soupe) d'aneth haché. Saler et poivrer. Ajouter 1 laitue romaine déchiquetée et 1 carotte taillée en julienne. Remuer.

1 courge spaghetti ①

Lait ②
500 ml (2 tasses)

Poulet ③
cuit et coupé en dés
500 ml (2 tasses)

½ poivron rouge ④
coupé en dés

Cheddar de chèvre ⑤
râpé
375 ml (1 ½ tasse)

PRÉVOIR AUSSI :
➤ **Beurre**
45 ml (3 c. à soupe)
➤ **Farine**
45 ml (3 c. à soupe)

FACULTATIF :
➤ **Ciboulette**
hachée
45 ml (3 c. à soupe)

Courge spaghetti gratinée, sauce au chèvre et poulet

Préparation : **15 minutes** • Cuisson : **40 minutes** • Quantité : **4 portions**

Préparation

Préchauffer le four à 205 °C (400 °F).

Couper la courge en deux sur la longueur. Retirer les graines et les filaments à l'aide d'une cuillère.

Déposer les demi-courges sur une plaque de cuisson, côté chair vers le haut. Badigeonner la chair d'un peu d'huile d'olive. Saler et poivrer. Cuire au four 30 minutes, jusqu'à ce que la chair de la courge soit *al dente*.

Pendant ce temps, faire fondre le beurre à feu moyen dans une casserole. Chauffer la farine 30 secondes en remuant. Verser le lait, puis porter à ébullition en fouettant. Saler et poivrer.

Incorporer le poulet, le poivron, la moitié du cheddar de chèvre et, si désiré, la ciboulette. Saler, poivrer et remuer. Retirer du feu. Couvrir et réserver.

Lorsque la courge est cuite, défaire les filaments à l'aide d'une fourchette. Déposer la chair dans un plat de cuisson. Couvrir de sauce au poulet et parsemer du reste du fromage.

Cuire au four 10 minutes.

Faire dorer à la position « gril » (*broil*) de 2 à 3 minutes.

PAR PORTION	
Calories	366
Protéines	36 g
Matières grasses	18 g
Glucides	16 g
Fibres	1 g
Fer	1 mg
Calcium	214 mg
Sodium	753 mg

Version minceur

La courge spaghetti

Vous avez bien lu ! 250 ml (1 tasse) de courge spaghetti ne fournissent que 44 calories ! On gagne à l'intégrer à de nombreux plats pour profiter de son riche pouvoir antioxydant ou à l'utiliser pour des festins de pâtes qui ne feront pas outrage à notre tour de taille !

44 CALORIES

Courge spaghetti cuite

Pour 250 ml (1 tasse)

234 CALORIES

Spaghetti cuit

Huile d'olive ❶
60 ml (¼ de tasse)

10 fraises ❷

Gorgonzola ❸
250 g (environ ½ lb)

2 laitues Boston ❹

Noix de Grenoble ❺
125 ml (½ tasse)

PRÉVOIR AUSSI :
➤ **Citron**
30 ml (2 c. à soupe)
de jus

➤ **Ail**
haché
5 ml (1 c. à thé)

FACULTATIF :
➤ **Menthe**
hachée
30 ml (2 c. à soupe)

Salade de laitue Boston, fraises et gorgonzola

Préparation : **15 minutes** • Quantité : **4 portions**

Préparation

Dans un saladier, fouetter l'huile d'olive avec le jus de citron, l'ail et, si désiré, la menthe.

Couper les fraises en deux. Tailler le gorgonzola en dés. Réserver 4 grosses feuilles de laitue Boston et déchiqueter les autres feuilles.

Dans le saladier, déposer les fraises, la laitue Boston déchiquetée et les noix de Grenoble. Remuer.

Déposer une feuille de laitue Boston dans chacune des assiettes. Répartir la salade de fraises et les dés de gorgonzola sur les feuilles.

PAR PORTION	
Calories	398
Protéines	15 g
Matières grasses	36 g
Glucides	8 g
Fibres	3 g
Fer	2 mg
Calcium	121 mg
Sodium	1 050 mg

Idée pour accompagner

Pois chiches rôtis

Mélanger 30 ml (2 c. à soupe) d'huile d'olive avec 15 ml (1 c. à soupe) d'épices cajun et 2,5 ml (½ c. à thé) de cumin. Rincer et égoutter le contenu de 1 boîte de pois chiches de 540 ml. Bien assécher sur du papier absorbant. Mélanger les pois chiches avec l'huile parfumée, puis étaler le mélange sur une plaque de cuisson tapissée de papier parchemin. Faire rôtir au four de 25 à 30 minutes à 205 °C (400 °F), en remuant à mi-cuisson.

Jus d'orange 100 % pur ①
80 ml (⅓ de tasse)

Moutarde de Dijon ②
30 ml (2 c. à soupe)

Assaisonnements italiens ③
15 ml (1 c. à soupe)

Orange ④
15 ml (1 c. à soupe)
de zestes

Truite saumonée ⑤
680 g (1 ½ lb)
de filet

Filet de truite, sauce moutarde et orange

Préparation : **15 minutes** • Cuisson : **25 minutes** • Quantité : **4 portions**

Préparation

Préchauffer le barbecue à puissance moyenne-élevée ou le four à 205 °C (400 °F).

Dans un bol, mélanger le jus d'orange avec la moutarde, les assaisonnements italiens et les zestes d'orange.

Déposer le filet de truite saumonée au centre d'une grande feuille de papier d'aluminium. Badigeonner le filet de sauce, puis arroser d'un filet d'huile d'olive. Replier la feuille de papier d'aluminium de manière à former une papillote hermétique.

Pour la cuisson au barbecue : déposer la papillote sur la grille chaude et fermer le couvercle. Cuire de 25 à 30 minutes, jusqu'à ce que la papillote soit gonflée et que la chair du poisson se défasse facilement à la fourchette.

Pour la cuisson au four : cuire la papillote de 18 à 20 minutes, jusqu'à ce qu'elle soit gonflée et que la chair du poisson se défasse facilement à la fourchette.

PAR PORTION	
Calories	282
Protéines	37 g
Matières grasses	12 g
Glucides	5 g
Fibres	10 g
Fer	1 mg
Calcium	52 mg
Sodium	335 mg

Idée pour accompagner

Salade de courgettes au sésame

Dans un saladier, mélanger 60 ml (¼ de tasse) d'huile d'olive avec 15 ml (1 c. à soupe) de jus de citron, 15 ml (1 c. à soupe) de zestes de citron, 30 ml (2 c. à soupe) de coriandre hachée et 30 ml (2 c. à soupe) de graines de sésame grillées. Saler et poivrer. Ajouter 2 grosses courgettes et 1 carotte coupées en fine julienne. Remuer.

Poulet ①
4 poitrines sans peau

1 aubergine ②
coupée en cubes

2 courgettes ③
coupées en cubes

Vin blanc sec ④
100 ml
(environ ⅓ de tasse)

4 tomates italiennes ⑤
pelées, épépinées et
coupées en morceaux

PRÉVOIR AUSSI :

➤ **2 grosses échalotes sèches**
(françaises)
grossièrement
hachées

➤ **Ail**
2 gousses
non pelées

FACULTATIF :

➤ **Thym**
quelques tiges

➤ **Romarin**
quelques tiges

Poulet rôti aux aubergines, courgettes et tomates

Préparation : **15 minutes** • Cuisson : **16 minutes** • Quantité : **4 portions**

Préparation

Préchauffer le four à 180 °C (350 °F).

Dans une poêle, chauffer un peu d'huile d'olive à feu moyen. Saler et poivrer les poitrines de poulet. Saisir les poitrines de poulet de 3 à 4 minutes de chaque côté, jusqu'à ce qu'elles soient dorées. Réserver dans une assiette.

Avec le plat d'un gros couteau, écraser les gousses d'ail.

Dans la même poêle, verser un peu d'huile d'olive. Ajouter l'aubergine, les échalotes, l'ail, et si désiré, du thym et du romarin. Cuire de 5 à 7 minutes, en remuant régulièrement, jusqu'à ce que les échalotes soient tendres et translucides et que l'aubergine commence à s'attendrir. Saler et poivrer.

Ajouter les courgettes, puis verser le vin et laisser mijoter à feu moyen jusqu'à ce que le vin ait réduit de moitié. Pendant ce temps, faire réchauffer un plat de cuisson huilé au four.

Ajouter les tomates dans la poêle. Remuer. Verser la préparation dans le plat de cuisson. Déposer les filets de poulet saisis sur les légumes. Si désiré, parsemer de thym et de romarin.

Cuire au four de 5 à 10 minutes, jusqu'à ce que l'intérieur de la chair du poulet ait perdu sa teinte rosée.

Retirer du four et laisser reposer 5 minutes avant de servir.

PAR PORTION	
Calories	271
Protéines	26 g
Matières grasses	11 g
Glucides	13 g
Fibres	5 g
Fer	2 mg
Calcium	44 mg
Sodium	131 mg

Idée pour accompagner

Couscous au safran

Dans une casserole, porter à ébullition 250 ml (1 tasse) de bouillon de légumes sans sucre (de type Imagine) avec 2,5 ml (½ c. à thé) de brins de safran et 1 pincée de sel. Dans un bol, mélanger 250 ml (1 tasse) de couscous avec 15 ml (1 c. à soupe) d'huile d'olive. Verser le bouillon de légumes bouillant sur le couscous et couvrir. Laisser gonfler 5 minutes. Égrainer le couscous à l'aide d'une fourchette.

Spaghettis de blé entier
225 g (½ lb)

1

4 grosses carottes
pelées et coupées
en longue julienne

2

Tofu ferme
râpé
300 g (⅔ de lb)

3

Pesto
30 ml (2 c. à soupe)

4

Parmesan
râpé
125 ml (½ tasse)

5

Spaghetti au tofu, carottes et pesto

Préparation : **15 minutes** • Cuisson : **10 minutes** • Quantité : **4 portions**

Préparation

Dans une casserole d'eau bouillante salée,
cuire les pâtes *al dente*.

Environ 4 minutes avant la fin de la cuisson
des pâtes, ajouter la julienne de carottes dans
la casserole. Égoutter en prenant soin de réserver
250 ml (1 tasse) d'eau de cuisson.

Remettre les pâtes et les carottes dans la casserole.

Ajouter le tofu, le pesto et le parmesan. Saler, poivrer
et remuer. Si la préparation est trop sèche, ajouter
un peu d'eau de cuisson réservée.

PAR PORTION	
Calories	338
Protéines	20 g
Matières grasses	300 g
Glucides	48 g
Fibres	7 g
Fer	6 mg
Calcium	352 mg
Sodium	311 mg

Idée pour accompagner

Salade de légumes

Dans un saladier, mélanger 60 ml
(¼ de tasse) d'huile d'olive avec 15 ml
(1 c. à soupe) de jus de citron et 15 ml
(1 c. à soupe) de tomates séchées hachées. Saler
et poivrer. Émincer ½ concombre, 1 poivron jaune,
½ oignon rouge et 2 branches de céleri. Ajouter les
légumes dans le saladier avec 12 tomates cerises
de couleurs variées coupées en deux. Remuer.

Recette de Ève Godin, nutritionniste. Photo carottes : Shutterstock.

**Yogourt nature
1 ou 2 %**
250 ml (1 tasse)

①

3 oranges
chair + 60 ml
(¼ de tasse) de jus

②

15 asperges

③

Fenouil
1 bulbe émincé

④

Crevettes nordiques
225 g (375 ml)

⑤

PRÉVOIR AUSSI :
➤ 1 **carotte**
émincée

FACULTATIF :
➤ 1 **concombre**
pelé, épépiné
et émincé

Crevettes et asperges à l'orange

Préparation : **15 minutes** • Cuisson : **5 minutes** • Quantité : **4 portions**

Préparation

Dans un bol, fouetter le yogourt avec le jus d'orange. Saler et poivrer. Réserver au frais.

Dans une casserole d'eau bouillante salée, cuire les asperges de 3 à 5 minutes. Rafraîchir immédiatement sous l'eau froide afin d'arrêter la cuisson. Égoutter, éponger et couper en morceaux de 2,5 cm (1 po).

Tailler les oranges en suprêmes en coupant d'abord l'écorce à vif, puis en tranchant de chaque côté des membranes. Déposer dans un saladier.

Ajouter le fenouil, les crevettes, la carotte, les asperges et, si désiré, le concombre dans le saladier. Napper de sauce à l'orange.

PAR PORTION	
Calories	181
Protéines	17 g
Matières grasses	2 g
Glucides	27 g
Fibres	6 g
Fer	3 mg
Calcium	227 mg
Sodium	463 mg

Idée pour accompagner

Quinoa au basilic

Dans une casserole, chauffer 15 ml (1 c. à soupe) d'huile d'olive à feu moyen. Cuire 1 oignon et 1 gousse d'ail hachés de 1 à 2 minutes. Ajouter 250 ml (1 tasse) de quinoa rincé et égoutté et 375 ml (1 ½ tasse) de bouillon de poulet sans sucre (de type Imagine). Saler et poivrer. Porter à ébullition, puis couvrir et cuire de 15 à 20 minutes. Au moment de servir, ajouter 45 ml (3 c. à soupe) de basilic haché.

Plus de fer

Vous manquez d'énergie et vous sentez fatigué ?
Ces symptômes pourraient être associés à une
carence en fer, soit le déficit alimentaire le plus
répandu dans le monde. Sachant qu'un homme
âgé entre 19 et 50 ans devrait en absorber de
8 à 10 mg par jour et qu'une femme dans la même
tranche d'âge devrait en ingérer de 16 à 20 mg,
notre équipe a rassemblé des recettes fournissant
un minimum de 3,5 mg de fer par portion afin de
vous aider à en consommer un maximum !

Nouilles de riz pour sauté ①
1 boîte de 198 g

Grosses crevettes (calibre 16/20) ②
crues et décortiquées
1 sac de 454 g

Pâte de cari rouge ③
10 ml (2 c. à thé)

2 tomates ④
coupées en dés

Lait de coco ⑤
1 boîte de 398 ml

PRÉVOIR AUSSI :
➤ 1 **oignon**
émincé

➤ **Ail**
haché
5 ml (1 c. à thé)

FACULTATIF :
➤ **Lime**
30 ml (2 c. à soupe)
de jus

Nouilles aux crevettes

Préparation : **15 minutes** • Cuisson : **3 minutes** • Quantité : **4 portions**

Préparation

Réhydrater les nouilles selon le mode de préparation indiqué sur l'emballage. Égoutter.

Dans une poêle ou dans un wok, chauffer un peu d'huile de sésame (non grillé) ou d'olive à feu moyen-élevé. Saisir les crevettes et l'oignon 2 minutes en remuant constamment.

Ajouter la pâte de cari, les dés de tomates et l'ail. Cuire 1 minute.

Verser le lait de coco et, si désiré, le jus de lime. Saler. Porter à ébullition, puis retirer du feu.

Répartir les nouilles dans les assiettes, puis garnir de la préparation aux crevettes.

PAR PORTION	
Calories	466
Protéines	28 g
Matières grasses	17 g
Glucides	50 g
Fibres	4 g
Fer	5 mg
Calcium	107 mg
Sodium	398 mg

Idée pour accompagner

Poivrons poêlés

Tailler 1 poivron orange, 2 poivrons rouges et 1 poivron vert en cubes. Émincer ½ oignon rouge et 6 shiitakes. Dans une poêle, chauffer 15 ml (1 c. à soupe) d'huile de canola à feu moyen. Saisir l'oignon rouge et 2 gousses d'ail émincées de 1 à 2 minutes. Ajouter 30 ml (2 c. à soupe) de miel, 30 ml (2 c. à soupe) de sauce soya, 15 ml (1 c. à soupe) de gingembre haché, les poivrons et les shiitakes. Poêler les légumes 2 minutes en remuant de temps en temps. Saler et poivrer. Au moment de servir, parsemer de 2 oignons verts émincés.

Bœuf ①
16 boulettes surgelées
décongelées

Poivrons ②
1 rouge et 1 jaune
émincés

1 oignon ③
émincé

4 pains pita ④

Tzatziki ⑤
du commerce
125 ml (½ tasse)

Pitas grecs aux boulettes de bœuf

Préparation : **15 minutes** • Cuisson : **10 minutes** • Quantité : **4 portions**

Préparation

Dans une poêle, chauffer un peu d'huile d'olive à feu moyen. Faire dorer les boulettes de 5 à 6 minutes.

Ajouter les poivrons et l'oignon. Saler et poivrer. Prolonger la cuisson de 5 à 6 minutes.

Déposer les pains pita dans une assiette et couvrir d'une feuille de papier absorbant humide. Chauffer au micro-ondes de 30 secondes à 1 minute à intensité élevée.

Garnir les pitas de boulettes, de légumes et de tzatziki. Rouler.

PAR PORTION	
Calories	433
Protéines	15 g
Matières grasses	23 g
Glucides	41 g
Fibres	2 g
Fer	4 mg
Calcium	57 mg
Sodium	534 mg

Version maison

Tzatziki

Mélanger 180 ml (¾ de tasse) de yogourt grec nature 0 % avec 60 ml (¼ de tasse) de concombre râpé, 10 ml (2 c. à thé) d'ail haché et 30 ml (2 c. à soupe) de menthe émincée. Saler et poivrer.

100 CALORIES

Du commerce

Pour 60 ml
(¼ de tasse)

32 CALORIES

Maison

Macédoine de légumes
surgelée
500 ml (2 tasses)

1

Jus de palourdes
2 bouteilles de 240 ml
chacune

2

Pommes de terre
pelées et coupées
en dés
500 ml (2 tasses)

3

Palourdes
lavées et rincées
1,5 kg (3 ⅓ lb)

4

Crème à cuisson 15 %
250 ml (1 tasse)

5

FACULTATIF :
➢ **Bacon**
8 tranches
coupées en dés

➢ **Persil**
haché
30 ml (2 c. à soupe)

PRÉVOIR AUSSI :
➢ **Farine**
45 ml (3 c. à soupe)

Chaudrée de palourdes et de légumes

Préparation : **15 minutes** • Cuisson : **25 minutes** • Quantité : **4 portions**

Préparation

Si désiré, cuire les dés de bacon de 2 à 3 minutes dans une casserole, jusqu'à ce qu'ils soient croustillants. Déposer sur du papier absorbant. Retirer l'excédent de gras de la casserole.

Dans la même casserole, cuire la macédoine de légumes de 1 à 2 minutes. Saupoudrer de farine et cuire quelques secondes en remuant.

Incorporer le jus de palourdes et 500 ml (2 tasses) d'eau. Porter à ébullition.

Ajouter les pommes de terre. Saler et poivrer. Couvrir et laisser mijoter de 15 à 20 minutes à feu doux-moyen, en remuant de temps en temps, jusqu'à ce que les pommes de terre soient tendres.

Ajouter les palourdes et la crème. Porter de nouveau à ébullition, puis laisser mijoter de 2 à 3 minutes à feu doux, jusqu'à l'ouverture des coquillages. Jeter ceux qui sont restés fermés.

Si désiré, parsemer chacune des portions de persil et de bacon croustillant au moment de servir.

PAR PORTION	
Calories	226
Protéines	15 g
Matières grasses	14 g
Glucides	20 g
Fibres	4 g
Fer	9 mg
Calcium	127 mg
Sodium	524 mg

Secret de chef

Comment nettoyer les palourdes

Avant de cuisiner les palourdes, il est important de bien les nettoyer afin d'éliminer toute trace de sable. Pour ce faire, faites-les tremper environ 1 heure dans un grand récipient d'eau salée. Ensuite, rincez-les et jetez celles qui ne se referment pas lorsque vous les frappez doucement contre le plan de travail.

Bébés épinards ①
400 g (environ ¾ de lb)

Fèves germées ②
500 ml (2 tasses)

Riz ③
cuit et refroidi
250 ml (1 tasse)

Noix de cajou ④
250 ml (1 tasse)

Vinaigrette balsamique ⑤
du commerce
125 ml (½ tasse)

FACULTATIF :
➤ **Champignons**
émincés
1 contenant
de 227 g

➤ 2 **oignons verts**
émincés

PRÉVOIR AUSSI :
➤ 2 **poivrons**
de couleurs variées
taillés en lanières fines

Salade d'amour

Préparation : **15 minutes** • Quantité : **4 portions**

Préparation

Dans un saladier, déposer les bébés épinards, les fèves germées, le riz, les noix de cajou, les poivrons et, si désiré, les champignons et les oignons verts.

Verser la vinaigrette et remuer.

Version maison

Vinaigrette balsamique à la sauce soya

Fouetter 125 ml (½ tasse) d'huile d'olive avec 60 ml (¼ de tasse) de vinaigre balsamique, 60 ml (¼ de tasse) de sauce soya et 2,5 ml (½ c. à thé) de fleur d'ail dans l'huile. Saler et poivrer.

PAR PORTION	
Calories	408
Protéines	19 g
Matières grasses	22 g
Glucides	42 g
Fibres	5 g
Fer	7 mg
Calcium	147 mg
Sodium	635 mg

124

Poulet
4 poitrines sans peau
de 180 g (environ
⅓ de lb) chacune
coupées en cubes

1

2 saucisses
de Toulouse
coupées en rondelles

2

Tomates en dés à l'ail
et huile d'olive
1 boîte de 540 ml

3

Haricots blancs
rincés et égouttés
1 boîte de 540 ml

4

Chapelure nature
60 ml (¼ de tasse)

5

PRÉVOIR AUSSI :

➤ **2 carottes**
pelées et coupées
en rondelles

➤ **Bouillon de poulet
ou de légumes**
430 ml (1 ¾ tasse)

FACULTATIF :

➤ **1 bouquet garni**
(thym, persil,
laurier)

Casserole de poulet et de saucisses

Préparation : **15 minutes** • Cuisson : **40 minutes** • Quantité : **6 portions**

Préparation

Dans une casserole à fond épais ou dans une cocotte, chauffer un peu d'huile de canola à feu moyen. Faire dorer les cubes de poulet et les rondelles de saucisses de 2 à 3 minutes de chaque côté.

Ajouter les tomates, les carottes et, si désiré, le bouquet garni. Cuire 3 minutes. Saler et poivrer.

Verser suffisamment de bouillon pour couvrir la viande et les légumes. Porter à ébullition, puis couvrir et laisser mijoter de 20 à 25 minutes à feu doux, jusqu'à ce que l'intérieur de la chair du poulet ait perdu sa teinte rosée.

Ajouter les haricots blancs. Couvrir et cuire 15 minutes à feu doux.

Parsemer de chapelure et faire dorer au four à la position « gril » (*broil*).

PAR PORTION	
Calories	396
Protéines	42 g
Matières grasses	10 g
Glucides	36 g
Fibres	8 g
Fer	5 mg
Calcium	136 mg
Sodium	510 mg

Idée pour accompagner

Salade de chou nappa et edamames

Dans un saladier, fouetter 60 ml (¼ de tasse) d'huile de sésame (non grillé) avec 30 ml (2 c. à soupe) de sauce soya légère, 30 ml (2 c. à soupe) de ciboulette hachée, 30 ml (2 c. à soupe) de graines de sésame grillées et 15 ml (1 c. à soupe) de jus de lime. Saler et poivrer. Ajouter ½ chou nappa émincé, 250 ml (1 tasse) d'edamames cuits, ½ poivron rouge coupé en dés et 2 oignons verts émincés. Remuer.

Bébés épinards ①
2 contenants de 142 g
chacun

3 œufs ②
1 entier battu
+ 2 jaunes

Feta ③
émiettée
160 ml (⅔ de tasse)

Pâte phyllo ④
8 feuilles

Saumon ⑤
4 morceaux la peau
enlevée d'environ
100 g (3 ½ oz) chacun

PRÉVOIR AUSSI :
➤ **Oignon**
haché
125 ml (½ tasse)

➤ **Ail**
1 gousse hachée
finement

Feuilletés de saumon aux épinards et feta

Préparation : **15 minutes** • Cuisson : **25 minutes** • Quantité : **4 portions**

Préparation

Préchauffer le four à 190 °C (375 °F).

Dans une casserole, chauffer un peu d'huile d'olive à feu moyen. Cuire l'oignon 4 minutes, jusqu'à ce qu'il soit tendre.

Ajouter les bébés épinards et l'ail. Poursuivre la cuisson 3 minutes, jusqu'à ce que les bébés épinards soient tombés. Au besoin, égoutter la préparation.

Retirer du feu, puis incorporer l'œuf battu et la feta. Poivrer.

Superposer 2 feuilles de pâte phyllo sur le plan de travail et déposer un morceau de saumon au centre. Garnir de préparation aux épinards. Répéter avec le reste des feuilles de pâte afin de former quatre feuilletés.

Dans un petit bol, fouetter les jaunes d'œufs avec 10 ml (2 c. à thé) d'eau. À l'aide d'un pinceau, badigeonner le pourtour des feuilles avec les jaunes d'œufs. Retirer l'équivalent de 2 cm (1 po) sur le pourtour des feuilles de pâte, puis fermer en portefeuille en repliant les bouts sous le saumon afin que la garniture soit sur le dessus.

Déposer sur une plaque de cuisson tapissée de papier parchemin. Badigeonner le dessus des feuilletés du reste de jaunes d'œufs.

Cuire au four 15 minutes, jusqu'à ce que les feuilletés soient dorés.

PAR PORTION	
Calories	429
Protéines	32 g
Matières grasses	21 g
Glucides	26 g
Fibres	3 g
Fer	5 mg
Calcium	233 mg
Sodium	592 mg

Idée pour accompagner

Tomates rôties

Sur une plaque de cuisson tapissée de papier parchemin, déposer deux grappes de tomates cerises. Napper de 30 ml (2 c. à soupe) de miel et de 15 ml (1 c. à soupe) d'huile d'olive. Parsemer de 5 ml (1 c. à thé) de thym haché. Saler et poivrer. Cuire au four de 8 à 10 minutes à 205 °C (400 °F).

Recette de Ève Godin, nutritionniste

Noix de cajou
180 ml (¾ de tasse) ①

Lait de coco
½ boîte de 400 ml ②

Bouillon de poulet
180 ml (¾ de tasse) ③

Cari
10 ml (2 c. à thé) ④

12 hauts de cuisses
désossés et sans peau ⑤

PRÉVOIR AUSSI :
➤ **Cassonade**
30 ml (2 c. à soupe)

➤ **Ail**
haché
10 ml (2 c. à thé)

FACULTATIF :
➤ **Gingembre**
haché
15 ml (1 c. à soupe)

Hauts de cuisses, sauce crémeuse aux noix de cajou

Préparation : **15 minutes** • Cuisson : **15 minutes** • Quantité : **4 portions**

Préparation

Dans le contenant du robot culinaire, hacher finement les noix de cajou. Incorporer le lait de coco, le bouillon de poulet, le cari, la cassonade, l'ail et, si désiré, le gingembre. Mélanger 1 minute, jusqu'à l'obtention d'une préparation homogène.

Dans une poêle, chauffer un peu d'huile de canola à feu moyen. Faire dorer les hauts de cuisses 2 minutes de chaque côté.

Verser la sauce aux noix de cajou dans la poêle et porter à ébullition. Couvrir et laisser mijoter 15 minutes à feu doux, jusqu'à ce que l'intérieur de la chair du poulet ait perdu sa teinte rosée.

PAR PORTION	
Calories	499
Protéines	38 g
Matières grasses	32 g
Glucides	16 g
Fibres	2 g
Fer	5 mg
Calcium	54 mg
Sodium	246 mg

Idée pour accompagner

Pois sucrés et poivrons au miel

Dans une casserole d'eau bouillante salée, blanchir 500 g (environ 1 lb) de pois sucrés 3 minutes. Égoutter. Dans une poêle, faire fondre 30 ml (2 c. à soupe) de beurre à feu moyen. Cuire 1 oignon haché et 3 demi-poivrons de couleurs variées émincés de 1 à 2 minutes. Ajouter 30 ml (2 c. à soupe) de miel, les pois sucrés et 30 ml (2 c. à soupe) de coriandre hachée. Saler et poivrer. Cuire 1 minute en remuant.

Vin blanc ①
125 ml (½ tasse)

Moules ②
lavées et rincées
1 kg (environ 2 ¼ lb)

Linguines ③
280 g (environ ⅔ de lb)

Tomates cerises ④
coupées en deux
1 contenant de 280 g

Persil ⑤
quelques feuilles
hachées

PRÉVOIR AUSSI :
➤ **Ail**
1 gousse entière pelée

Linguines aux moules

Préparation : **15 minutes** • Cuisson : **15 minutes** • Quantité : **4 portions**

Préparation

Dans une casserole, porter le vin blanc à ébullition. Ajouter les moules. Couvrir et cuire 5 minutes, en remuant à quelques reprises, jusqu'à ce que les moules soient ouvertes.

Égoutter les moules en prenant soin de réserver le jus de cuisson. Jeter les moules qui ne sont pas ouvertes. Laisser tiédir, puis décortiquer la moitié des moules. Réserver.

Pendant ce temps, cuire les pâtes *al dente* dans une casserole d'eau bouillante salée. Égoutter et réserver.

Dans une grande poêle, chauffer un peu d'huile d'olive à feu moyen. Cuire la gousse d'ail jusqu'à ce qu'elle commence à brunir légèrement. Retirer la gousse d'ail de la poêle. Déposer les tomates cerises dans la poêle et cuire 5 minutes, jusqu'à ce qu'elles ramollissent légèrement.

Ajouter les pâtes et les moules décortiquées dans la poêle. Remuer. Verser le jus de cuisson des moules réservé. Incorporer le persil. Saler et poivrer.

Répartir la préparation dans les assiettes. Garnir chaque portion de moules en coquille.

PAR PORTION	
Calories	563
Protéines	38 g
Matières grasses	10 g
Glucides	67 g
Fibres	4 g
Fer	13 mg
Calcium	108 mg
Sodium	738 mg

Idée pour accompagner

Salade tiède d'épinards

Dans une poêle, chauffer 30 ml (2 c. à soupe) d'huile d'olive à feu moyen. Cuire ½ oignon rouge émincé et 8 champignons émincés de 2 à 3 minutes. Ajouter 5 ml (1 c. à thé) d'ail haché, 8 tranches de bacon cuites et émiettées et 60 ml (¼ de tasse) de noix de pin. Cuire de 1 à 2 minutes en remuant de temps en temps. Verser 30 ml (2 c. à soupe) de vinaigre balsamique et mélanger. Transférer dans un saladier et ajouter le contenu de 1 contenant de bébés épinards de 142 g ainsi que 250 ml (1 tasse) de fromage suisse coupé en dés. Remuer.

Recette de Ève Godin, nutritionniste

2 poivrons rouges ①

Bœuf ②
450 g (1 lb) de biftecks
de surlonge

**Sauce chinoise
miel et ail** ③
du commerce
250 ml (1 tasse)

Basilic thaï ④
24 feuilles

Noix de cajou ⑤
grillées
80 ml (⅓ de tasse)

PRÉVOIR AUSSI :
➤ **Huile de sésame**
non grillé
30 ml (2 c. à soupe)

FACULTATIF :
➤ **2 oignons verts**
émincés

Bœuf au basilic thaï

Préparation : **15 minutes** • Cuisson : **15 minutes** • Quantité : **4 portions**

Préparation

Émincer les poivrons. Tailler les biftecks de surlonge en tranches fines.

Dans une poêle ou dans un wok, chauffer 15 ml (1 c. à soupe) d'huile de sésame à feu moyen. Cuire les poivrons de 2 à 3 minutes. Déposer dans une assiette.

Dans la même poêle, chauffer le reste de l'huile. Saisir le bœuf 2 minutes, en procédant par petites quantités.

Si désiré, ajouter les oignons verts et cuire 1 minute.

Verser la sauce, puis porter à ébullition.

Remettre les poivrons dans la poêle. Incorporer le basilic et les noix de cajou. Servir immédiatement.

PAR PORTION	
Calories	469
Protéines	28 g
Matières grasses	15 g
Glucides	54 g
Fibres	1 g
Fer	4 mg
Calcium	51 mg
Sodium	468 mg

Version maison

Sauce miel et ail

Fouetter 180 ml (¾ de tasse) de bouillon de bœuf avec 60 ml (¼ de tasse) de sauce aux huîtres, 30 ml (2 c. à soupe) de sauce soya, 30 ml (2 c. à soupe) de miel, 15 ml (1 c. à soupe) de sauce de poisson, 10 ml (2 c. à thé) de fécule de maïs et 5 ml (1 c. à thé) d'ail haché.

Canard ①
4 poitrines de 190 g
(environ ½ lb) chacune

Cumin ②
5 ml (1 c. à thé)
de grains

Liqueur de whisky
et sirop d'érable ③
de type Sortilège
80 ml (⅓ de tasse)

Sirop d'érable ④
80 ml (⅓ de tasse)

Sauce demi-glace ⑤
250 ml (1 tasse)

PRÉVOIR AUSSI :
➤ **Échalotes sèches**
(françaises)
hachées
80 ml (⅓ de tasse)

FACULTATIF :
➤ **Coriandre**
5 ml (1 c. à thé)
de grains

Poitrines de canard, sauce érable et cumin

Préparation : **15 minutes** • Cuisson : **15 minutes** • Quantité : **4 portions**

Préparation

Inciser la peau et le gras des poitrines de canard en formant un quadrillage et en prenant soin de ne pas entailler la chair.

Chauffer une poêle à feu moyen-élevé. Déposer les poitrines dans la poêle, côté peau, et cuire de 2 à 3 minutes.

Retourner les poitrines côté chair et poursuivre la cuisson de 6 à 7 minutes pour une cuisson rosée. Saler et poivrer. Déposer les poitrines dans une assiette et couvrir d'une feuille de papier d'aluminium, sans serrer. Laisser reposer quelques minutes, puis émincer.

Retirer l'excédent de gras de la poêle et saisir le cumin avec les échalotes et, si désiré, la coriandre 1 minute.

Verser la liqueur de whisky et sirop d'érable ainsi que le sirop d'érable. Cuire de 1 à 2 minutes en remuant.

Ajouter la sauce demi-glace et laisser mijoter de 3 à 4 minutes, jusqu'à l'obtention d'une consistance sirupeuse. Saler et poivrer.

Verser un peu de sauce dans les assiettes. Déposer les tranches de canard sur la sauce.

PAR PORTION	
Calories	562
Protéines	32 g
Matières grasses	34 g
Glucides	24 g
Fibres	0 g
Fer	6 mg
Calcium	36 mg
Sodium	602 mg

Idée pour accompagner

Salade de choux de Bruxelles, pommes et noix

Dans un saladier, mélanger 60 ml (¼ de tasse) d'huile de noisette avec 15 ml (1 c. à soupe) de jus de citron, 30 ml (2 c. à soupe) de ciboulette hachée, 30 ml (2 c. à soupe) de persil haché et 80 ml (⅓ de tasse) de noix de Grenoble en morceaux. Ajouter 10 gros choux de Bruxelles effeuillés et 1 pomme Cortland émincée. Saler et poivrer. Remuer.

**Bœuf haché
mi-maigre**
500 g (environ 1 lb)

 **1**

Chapelure nature **2**
60 ml (¼ de tasse)

Épices à bifteck **3**
15 ml (1 c. à soupe)

16 oignons perlés **4**

Sauce demi-glace **5**
1 boîte de 284 ml

PRÉVOIR AUSSI :
➤ **1 œuf**
batu

➤ **Moutarde
à l'ancienne**
15 ml (1 c. à soupe)

FACULTATIF :
➤ **Sauce
Worcestershire**
30 ml (2 c. à soupe)

Galettes de bœuf,
sauce aux oignons perlés

Préparation : **15 minutes** • Cuisson : **15 minutes** • Quantité : **4 portions**

Préparation

Dans un bol, mélanger le bœuf haché avec la chapelure, les épices à bifteck, l'œuf battu, la moutarde à l'ancienne et, si désiré, la sauce Worcestershire. Façonner 8 galettes en utilisant environ 80 ml (⅓ de tasse) de préparation pour chacune d'elles.

Dans une poêle, chauffer un peu d'huile de canola à feu moyen. Saisir les galettes 1 minute de chaque côté. Déposer les galettes dans une assiette.

Dans la même poêle, faire dorer les oignons perlés de 1 à 2 minutes.

Verser la sauce demi-glace. Remettre les galettes dans la poêle et porter à ébullition.

Laisser mijoter à découvert et à feu doux-moyen 10 minutes, jusqu'à ce que l'intérieur des galettes ait perdu sa teinte rosée.

PAR PORTION	
Calories	441
Protéines	33 g
Matières grasses	23 g
Glucides	26 g
Fibres	2 g
Fer	4 mg
Calcium	82 mg
Sodium	941 mg

Idée pour accompagner

Purée de pommes de terre
persillée à la fleur d'ail

Peler et couper en cubes de 5 à 6 pommes de terre. Déposer dans une casserole d'eau froide salée. Porter à ébullition, puis cuire 20 minutes, jusqu'à tendreté. Égoutter. Réduire en purée avec 125 ml (½ tasse) de lait chaud, 30 ml (2 c. à soupe) de beurre, 15 ml (1 c. à soupe) de persil haché et 5 ml (1 c. à thé) de fleur d'ail dans l'huile. Poivrer.

**Crevettes moyennes
(calibre 31/40)**
crues et décortiquées
1 sac de 340 g

①

Chou kale
tiges retirées et feuilles
hachées grossièrement
½ botte

②

2 abricots
coupés en quartiers

③

**Vinaigrette
italienne sans gras**
du commerce
80 ml (⅓ de tasse)

④

Pois chiches rôtis
du commerce
500 ml (2 tasses)

⑤

Sauté de crevettes,
chou kale et abricots

Préparation : **15 minutes** • Cuisson : **5 minutes** • Quantité : **4 portions**

Préparation

Dans une poêle, chauffer un peu d'huile d'olive à feu moyen. Cuire les crevettes de 2 à 3 minutes. Réserver dans une assiette.

Dans la même poêle, cuire le chou kale et l'oignon de 1 à 2 minutes. Déposer dans un saladier.

Ajouter les crevettes, les abricots et, si désiré, les tomates cerises et le fromage de chèvre dans le saladier. Verser la vinaigrette. Saler, poivrer et remuer.

Répartir le sauté dans les assiettes. Garnir chaque portion de pois chiches rôtis.

PAR PORTION	
Calories	419
Protéines	34 g
Matières grasses	16 g
Glucides	38 g
Fibres	6 g
Fer	5 mg
Calcium	169 mg
Sodium	904 mg

Version maison

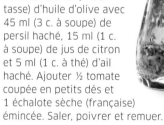

Vinaigrette italienne

Fouetter 60 ml (¼ de tasse) d'huile d'olive avec 45 ml (3 c. à soupe) de persil haché, 15 ml (1 c. à soupe) de jus de citron et 5 ml (1 c. à thé) d'ail haché. Ajouter ½ tomate coupée en petits dés et 1 échalote sèche (française) émincée. Saler, poivrer et remuer.

FACULTATIF :

➤ 16 **tomates cerises**
de couleurs variées
coupées en deux

➤ **Fromage de chèvre**
émietté
1 paquet de 125 g

PRÉVOIR AUSSI :

➤ 1 **oignon**
haché

**Boulettes de viande
à la suédoise**
du commerce
surgelées, décongelées
580 g (environ 1 ¼ lb)

①

Gingembre
haché
15 ml (1 c. à soupe)

②

Jus de pomme
250 ml (1 tasse)

③

Sirop d'érable
80 ml (⅓ de tasse)

④

Sauce soya
réduite en sodium
30 ml (2 c. à soupe)

⑤

PRÉVOIR AUSSI :
➤ **Fécule de maïs**
15 ml (1 c. à soupe)

FACULTATIF :
➤ **Cannelle**
1 bâton

Boulettes de viande glacées à la sauce aux pommes

Préparation : **15 minutes** • Cuisson : **10 minutes** • Quantité : **4 portions**

Préparation

Dans une poêle, chauffer un peu d'huile de canola à feu moyen. Faire dorer les boulettes avec le gingembre de 3 à 4 minutes.

Ajouter le jus de pomme, le sirop d'érable, la sauce soya et, si désiré, le bâton de cannelle. Saler et poivrer. Porter à ébullition, puis laisser mijoter de 4 à 5 minutes à feu doux-moyen. Retirer le bâton de cannelle.

Délayer la fécule de maïs dans un peu d'eau froide et incorporer à la préparation.

PAR PORTION	
Calories	556
Protéines	20 g
Matières grasses	37 g
Glucides	33 g
Fibres	0 g
Fer	3,5 mg
Calcium	38 mg
Sodium	855 mg

Version maison

Boulettes de porc

Dans un bol, mélanger 600 g (environ 1 ⅓ lb) de porc haché avec 80 ml (⅓ de tasse) de chapelure nature, 10 ml (2 c. à thé) d'ail haché, 5 ml (1 c. à thé) de gingembre moulu, 2,5 ml (½ c. à thé) de cannelle, 1,25 ml (¼ de c. à thé) de poivre de la Jamaïque (quatre-épices) moulu, 4 oignons verts hachés et 1 œuf. Saler et poivrer. Façonner 16 boulettes en utilisant environ 45 ml (3 c. à soupe) de préparation pour chacune d'elles. Déposer les boulettes sur une plaque de cuisson tapissée de papier parchemin. Cuire au four de 12 à 15 minutes à 205 °C (400 °F). Ces boulettes se conservent de 3 à 4 mois au congélateur.

Fonds d'artichauts 1
égouttés et coupés en
deux ou en quatre
1 boîte de 398 ml

Edamames 2
surgelés
250 ml (1 tasse)

**Vinaigrette
méditerranéenne** 3
du commerce
60 ml (¼ de tasse)

Truite saumonée 4
4 pavés de 125 g
(environ ¼ de lb)
chacun et de 2 cm
(¾ de po) d'épaisseur
la peau enlevée

Bébés épinards 5
500 ml (2 tasses)

PRÉVOIR AUSSI :

➤ **½ oignon**
haché

➤ **Ail**
1 gousse hachée

Truite saumonée et salade d'artichauts aux edamames

Préparation : **15 minutes** • Cuisson : **10 minutes** • Quantité : **4 portions**

Préparation

Dans une poêle, chauffer un peu d'huile d'olive à feu moyen. Cuire l'oignon avec l'ail de 3 à 4 minutes. Ajouter les fonds d'artichauts et faire revenir 30 secondes.

Dans une casserole d'eau bouillante, cuire les edamames 2 minutes. Égoutter et refroidir sous l'eau froide.

Dans un saladier, déposer les fonds d'artichauts, les edamames, la vinaigrette, l'oignon et l'ail. Remuer. Répartir le mélange dans les assiettes.

Dans la poêle, chauffer un peu d'huile d'olive à feu élevé. Saisir les pavés de truite et cuire 3 minutes d'un seul côté, jusqu'à ce que la ligne de cuisson arrive au milieu du poisson. Retirer du feu. Retourner les pavés et laisser reposer 2 minutes pour compléter la cuisson.

Déposer un pavé de truite sur chaque portion de salade. Garnir de bébés épinards et d'un filet d'huile d'olive. Saler et poivrer.

PAR PORTION	
Calories	291
Protéines	32 g
Matières grasses	13 g
Glucides	12 g
Fibres	4 g
Fer	5 mg
Calcium	134 mg
Sodium	634 mg

Version maison

Vinaigrette méditerranéenne

Mélanger 80 ml (⅓ de tasse) d'huile d'olive avec 30 ml (2 c. à soupe) de vinaigre de vin rouge, 15 ml (1 c. à soupe) de vinaigre balsamique, 15 ml (1 c. à soupe) de miel, 15 ml (1 c. à soupe) de basilic haché, 15 ml (1 c. à soupe) d'origan haché et 2,5 ml (½ c. à thé) de poivre du moulin.

144

Recette de Ève Godin, nutritionniste

Porc ①
720 g (environ 1 ⅔ lb)
de filets coupés
en cubes

Pâte de cari rouge ②
30 ml (2 c. à soupe)

Lait de coco léger ③
2 boîtes de 400 ml
chacune

Mirin ④
80 ml (⅓ de tasse)

1 poivron rouge ⑤
émincé

PRÉVOIR AUSSI :
➤ **Sauce soya**
réduite en sodium
60 ml (¼ de tasse)

➤ **2 carottes**
émincées

FACULTATIF :
➤ **Noix de cajou
grillées**
80 ml (⅓ de tasse)

Porc au cari

Préparation : **15 minutes** • Marinage : **15 minutes** • Cuisson : **20 minutes** • Quantité : **4 portions**

Préparation

Assécher les cubes de viande à l'aide de papier absorbant.

Dans un bol, mélanger les cubes de porc avec la moitié de la pâte de cari. Laisser mariner au frais 15 minutes.

Dans une casserole, chauffer un peu d'huile de canola à feu moyen. Saisir quelques cubes de viande à la fois de 2 à 3 minutes, jusqu'à ce que chacune de leurs faces soit dorée. Réserver dans une assiette.

Dans un bol, mélanger le lait de coco avec la sauce soya, le reste de la pâte de cari et le mirin. Verser la préparation dans la casserole, puis ajouter le poivron et les carottes. Porter à ébullition.

Remettre les cubes de viande dans la casserole et laisser mijoter de 18 à 20 minutes à feu doux-moyen.

Si désiré, ajouter les noix de cajou au moment de servir.

PAR PORTION	
Calories	517
Protéines	45 g
Matières grasses	24 g
Glucides	28 g
Fibres	2 g
Fer	4 mg
Calcium	30 mg
Sodium	1 224 mg

Idée pour accompagner

Papillotes de légumes

Dans un bol, mélanger 250 g (environ ½ lb) de pois mange-tout avec le contenu de 1 boîte de maïs miniatures de 398 ml rincés, égouttés et coupés en deux sur la longueur, 1 poivron rouge émincé, ½ oignon rouge émincé, 30 ml (2 c. à soupe) de persil haché, 30 ml (2 c. à soupe) d'huile d'olive et 10 ml (2 c. à thé) d'ail haché. Saler et poivrer. Sur quatre feuilles de papier d'aluminium, répartir la préparation. Replier chacune des feuilles afin de former des papillotes hermétiques. Cuire au four 15 minutes à 205 °C (400 °F), jusqu'à ce que les papillotes soient gonflées.

Tagliatelles
1 boîte de 500 g

①

Veau
2 escalopes de 125 g
(environ ¼ de lb)
chacune, coupées
en lanières

②

10 olives noires

③

Épinards
parés, lavés et émincés
1 sac de 170 g

④

Bouillon de poulet
60 ml (¼ de tasse)

⑤

PRÉVOIR AUSSI :
➤ 1 **oignon**
haché
➤ **Ail**
1 gousse hachée

FACULTATIF :
➤ **Sauge**
émincée
15 ml (1 c. à soupe)
➤ **Persil**
haché
30 ml (2 c. à soupe)

Tagliatelles au veau

Préparation : **15 minutes** • Cuisson : **10 minutes** • Quantité : **4 portions**

Préparation

Dans une casserole d'eau bouillante salée, cuire les pâtes *al dente*. Égoutter.

Pendant ce temps, chauffer un peu d'huile d'olive à feu moyen dans une grande poêle. Saisir les lanières de veau de 1 à 2 minutes de chaque côté. Saler et poivrer. Réserver dans une assiette.

Déposer les olives, les épinards, l'oignon et l'ail dans la poêle. Cuire de 2 à 3 minutes.

Ajouter le bouillon de poulet et, si désiré, la sauge. Cuire de 2 à 3 minutes.

Incorporer les pâtes et les lanières de veau. Saler et poivrer. Réchauffer de 2 à 3 minutes en remuant.

Si désiré, parsemer de persil au moment de servir.

PAR PORTION	
Calories	600
Protéines	31 g
Matières grasses	7 g
Glucides	99 g
Fibres	6 g
Fer	6 mg
Calcium	88 mg
Sodium	300 mg

Idée pour accompagner

Salade fraîcheur aux tomates cerises

Dans un saladier, mélanger 30 ml (2 c. à soupe) d'huile d'olive avec 30 ml (2 c. à soupe) de ciboulette hachée, 10 ml (2 c. à thé) de vinaigre balsamique, 10 ml (2 c. à thé) d'ail haché et 10 ml (2 c. à thé) de moutarde de Dijon. Saler et poivrer. Ajouter 500 ml (2 tasses) de mesclun et 10 tomates cerises coupées en deux. Remuer.

Moins de matières grasses

Vous avez pris goût à la cuisine grasse et avez du mal à y renoncer? Vous croyez qu'en coupant les ingrédients plus riches, vos repas seront fades? Détrompez-vous! Il existe mille et une façons de réinventer vos plats avec moins de gras. Voici nos idées pour régaler vos papilles avec 10 g ou moins de gras par portion!

Veau haché extra-maigre
450 g (1 lb)

①

2 oignons verts
hachés

②

Gingembre
haché
15 ml (1 c. à soupe)

③

Mélange de légumes pour salade de chou
250 ml (1 tasse)

④

Pâte à rouleaux impériaux
12 carrés

⑤

PRÉVOIR AUSSI :
➤ **Sauce soya**
réduite en sodium
30 ml (2 c. à soupe)

➤ **1 œuf**
battu

FACULTATIF :
➤ **Ail**
haché
10 ml (2 c. à thé)

Rouleaux impériaux au veau

Préparation : **15 minutes** • Cuisson : **15 minutes** • Quantité : **4 portions**

Préparation

Préchauffer le four à 205 °C (400 °F).

Dans une poêle antiadhésive, cuire le veau haché 5 minutes à feu moyen en remuant, jusqu'à ce que la viande ait perdu sa teinte rosée.

Ajouter les oignons verts, le gingembre, le mélange de légumes pour salade de chou et, si désiré, l'ail. Cuire 3 minutes.

Ajouter la sauce soya et cuire 2 minutes.

Sur le plan de travail, déposer de biais 4 feuilles de pâte. Couvrir le reste des feuilles d'un linge humide. Au bas de chaque feuille, déposer environ 45 ml (3 c. à soupe) de farce. Badigeonner le pourtour des feuilles d'œuf battu, puis rabattre la pointe du bas sur la farce. Commencer à rouler la feuille en serrant, puis rabattre les côtés sur la farce. Compléter le rouleau en serrant. Couvrir d'un linge humide. Répéter pour le reste des rouleaux.

Déposer les rouleaux sur une plaque de cuisson tapissée de papier parchemin, joint dessous. Badigeonner les rouleaux d'un peu d'huile d'olive. Cuire au four de 15 à 20 minutes, en retournant les rouleaux à mi-cuisson, jusqu'à ce qu'ils soient dorés.

PAR PORTION	
Calories	283
Protéines	28 g
Matières grasses	10 g
Glucides	21 g
Fibres	3 g
Fer	3 mg
Calcium	43 mg
Sodium	410 mg

Idée pour accompagner

Sauce thaï

Mélanger 60 ml (¼ de tasse) d'eau avec 30 ml (2 c. à soupe) de sauce de poisson, 15 ml (1 c. à soupe) de sucre, 5 ml (1 c. à thé) d'ail haché et 5 ml (1 c. à thé) de piment thaï haché.

Tortiglionis
350 g (environ ¾ de lb) **1**

½ oignon rouge **2**
émincé

Tomates séchées **3**
émincées
125 ml (½ tasse)

Brie léger 12 % M.G. **4**
taillé en petits cubes
100 g (3 ½ oz)

Basilic **5**
haché
45 ml (3 c. à soupe)

PRÉVOIR AUSSI :
➤ **Ail**
2 gousses émincées

Tortiglionis aux tomates séchées, brie et basilic

Préparation : **15 minutes** • Cuisson : **10 minutes** • Quantité : **4 portions**

Préparation

Dans une casserole d'eau bouillante salée, cuire les pâtes *al dente*. Égoutter en prenant soin de réserver environ 250 ml (1 tasse) d'eau de cuisson des pâtes.

Dans la même casserole, chauffer un peu d'huile d'olive à feu moyen. Cuire l'oignon rouge et l'ail de 1 à 2 minutes en remuant.

Ajouter les pâtes, les tomates séchées, le brie et un peu d'eau de cuisson dans la casserole. Saler et poivrer. Réchauffer de 2 à 3 minutes, jusqu'à ce que le brie commence à fondre.

Au moment de servir, parsemer de basilic.

PAR PORTION	
Calories	426
Protéines	20 g
Matières grasses	8 g
Glucides	69 g
Fibres	3 g
Fer	2 mg
Calcium	221 mg
Sodium	326 mg

Idée pour accompagner

Salade d'épinards aux poires et pacanes

Dans un bol, fouetter 125 ml (½ tasse) de yogourt nature 0 % avec 15 ml (1 c. à soupe) de moutarde à l'ancienne, 15 ml (1 c. à soupe) de jus de citron, 15 ml (1 c. à soupe) de miel et 30 ml (2 c. à soupe) de ciboulette hachée. Saler et poivrer. Répartir le contenu de 1 contenant de bébés épinards de 142 g dans les assiettes. Garnir de 2 poires coupées en fine julienne et de 80 ml (⅓ de tasse) de pacanes en morceaux. Napper de vinaigrette au yogourt.

Photo basilic : Shutterstock.

Bouillon de poulet ➊
1,5 litre (6 tasses)

Céleri ➋
2 branches émincées

Pommes de terre ➌
pelées et coupées
en dés
250 ml (1 tasse)

2 carottes ➍
coupées en rondelles

Poulet ➎
cuit et coupé
en morceaux
500 ml (2 tasses)

Soupe-repas au poulet et légumes

Préparation : **10 minutes** • Cuisson : **15 minutes** • Quantité : **4 portions**

Préparation

Dans une casserole, porter à ébullition le bouillon de poulet.

Ajouter le céleri, les pommes de terre, les carottes, l'oignon et, si désiré, la sarriette dans la casserole. Laisser mijoter à découvert 10 minutes.

Ajouter le poulet, puis poursuivre la cuisson 5 minutes.

PAR PORTION	
Calories	195
Protéines	29 g
Matières grasses	2 g
Glucides	15 g
Fibres	4 g
Fer	2 mg
Calcium	64 mg
Sodium	697 mg

Idée pour accompagner

Croûtons gratinés au cheddar

Couper ½ pain baguette en 12 tranches fines. Badigeonner avec 15 ml (1 c. à soupe) de beurre fondu, puis parsemer de 15 ml (1 c. à soupe) de thym haché et de 5 ml (1 c. à thé) de romarin haché. Répartir 125 ml (½ tasse) de cheddar léger 18 % M.G. râpé sur les tranches. Déposer sur une plaque de cuisson couverte d'une feuille de papier d'aluminium. Faire gratiner au four de 2 à 3 minutes à la position « gril » (*broil*).

PRÉVOIR AUSSI :
➤ 1 **oignon**
haché

FACULTATIF :
➤ **Sarriette séchée**
5 ml (1 c. à thé)

Bœuf ①
450 g (1 lb) de bifteck de surlonge coupé en fines lanières

Brocoli ②
coupé en petits bouquets
250 ml (1 tasse)

1 poivron rouge ③
émincé

Sauce pour sauté ④
orange et gingembre
250 ml (1 tasse)

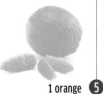

1 orange ⑤
taillée en suprêmes

PRÉVOIR AUSSI :
➤ **Huile de sésame**
(non grillé)
15 ml (1 c. à soupe)

➤ **1 petit oignon**
émincé

Sauté de bœuf à l'orange et au gingembre

Préparation : **15 minutes** • Cuisson : **10 minutes** • Quantité : **4 portions**

Préparation

Dans une poêle ou dans un wok, chauffer l'huile de sésame à feu moyen. Saisir les lanières de bœuf de 2 à 3 minutes. Déposer dans une assiette.

Dans la même poêle, cuire le brocoli avec le poivron rouge et l'oignon de 2 à 3 minutes, en prenant soin de les conserver légèrement croquants.

Remettre les lanières de bœuf dans la poêle. Verser la sauce pour sauté et porter à ébullition en remuant.

Ajouter les suprêmes d'orange dans la poêle et remuer délicatement.

PAR PORTION	
Calories	262
Protéines	28 g
Matières grasses	8 g
Glucides	18 g
Fibres	3 g
Fer	3 mg
Calcium	53 mg
Sodium	371 mg

Idée pour accompagner

Vermicelles de riz aux légumes

Réhydrater 100 g (3 ½ oz) de vermicelles de riz selon le mode de préparation indiqué sur l'emballage. Dans une poêle, chauffer 125 ml (½ tasse) de bouillon de poulet à feu moyen. Ajouter 8 mini-bok choys ainsi que 1 carotte et 1 courgette coupées en julienne. Cuire de 2 à 3 minutes. Ajouter les vermicelles. Saler et poivrer. Cuire de 1 à 2 minutes.

Bouillon de légumes
625 ml (2 ½ tasses) **1**

Paprika fumé **2**
3,75 ml (¾ de c. à thé)

Tofu ferme **3**
1 paquet de 350 g

Mélange de légumes **4**
surgelés à l'italienne
décongelés
375 ml (1 ½ tasse)

Riz rond **5**
ou riz à grains courts
310 ml (1 ¼ tasse)

PRÉVOIR AUSSI :
➤ **Ail**
1 gousse émincée

FACULTATIF :
➤ **1 tomate**
taillée en dés

Paëlla végétarienne

Préparation : **15 minutes** • Cuisson : **30 minutes** • Quantité : **4 portions**

Préparation

Dans une casserole, porter le bouillon de légumes à ébullition, puis retirer du feu. Ajouter le paprika fumé. Laisser infuser environ 10 minutes.

Pendant ce temps, râper le tofu. Si désiré, faire mariner le tofu dans la marinade épicée (voir recette et indications ci-dessous).

Dans une poêle, chauffer un peu d'huile de canola à feu moyen. Cuire l'ail quelques secondes.

Ajouter le mélange de légumes et, si désiré, la tomate dans la poêle. Cuire 5 minutes à feu moyen.

Ajouter le riz dans la poêle et cuire quelques secondes en remuant.

Ajouter le bouillon infusé. Saler et poivrer. Porter à ébullition. Couvrir et laisser mijoter à feu doux 12 minutes, jusqu'à ce que le riz soit *al dente*.

Incorporer le tofu râpé et prolonger la cuisson de 8 minutes. Rectifier l'assaisonnement au besoin.

Idée pour accompagner

Marinade épicée

Dans le contenant du robot culinaire, mélanger 2 gousses d'ail pelées avec 60 ml (¼ de tasse) de feuilles de persil et 15 ml (1 c. à soupe) de jus de citron. Ajouter ½ poivron rouge émincé, 15 ml (1 c. à soupe) de zestes de citron, 5 ml (1 c. à thé) de curcuma et un peu de harissa. Mélanger jusqu'à l'obtention d'une marinade crémeuse. Pour mariner : déposer le tofu dans la marinade épicée et laisser mariner de 15 minutes à 2 heures au frais. Égoutter.

PAR PORTION	
Calories	341
Protéines	16 g
Matières grasses	6 g
Glucides	60 g
Fibres	4 g
Fer	6 mg
Calcium	254 mg
Sodium	39 mg

Gingembre ①
haché
15 ml (1 c. à soupe)

Bouillon de poulet ②
750 ml (3 tasses)

Sauce soya ③
15 ml (1 c. à soupe)

Crabe ④
250 g (environ ½ lb)
de chair égouttée

12 asperges ⑤
taillées en biseau

PRÉVOIR AUSSI :
➤ **Échalotes sèches**
(françaises)
hachées
80 ml (⅓ de tasse)

➤ **Fécule de maïs**
45 ml (3 c. à soupe)

FACULTATIF :
➤ **Ail**
haché
15 ml (1 c. à soupe)

➤ **Sauce de poisson**
10 ml (2 c. à thé)

Soupe-repas au crabe et asperges

Préparation : **15 minutes** • Cuisson : **15 minutes** • Quantité : **4 portions**

Préparation

Dans une casserole, chauffer un peu d'huile de sésame (non grillé) ou d'huile de canola à feu moyen. Cuire le gingembre avec les échalotes et, si désiré, l'ail de 1 à 2 minutes.

Ajouter le bouillon, la sauce soya et, si désiré, la sauce de poisson. Porter à ébullition. Laisser mijoter 10 minutes à feu doux-moyen.

Ajouter la chair de crabe et les asperges. Laisser mijoter de 3 à 4 minutes.

Délayer la fécule de maïs dans un peu d'eau froide. Verser dans la casserole en remuant jusqu'à ce que le bouillon épaississe.

PAR PORTION	
Calories	144
Protéines	15 g
Matières grasses	4 g
Glucides	12 g
Fibres	2 g
Fer	2 mg
Calcium	62 mg
Sodium	1 058 mg

Idée pour accompagner

Salade de mâche et oranges

Dans un saladier, mélanger 60 ml (¼ de tasse) d'huile d'olive avec 45 ml (3 c. à soupe) de jus de citron, 15 ml (1 c. à soupe) de pesto aux tomates séchées et 1 oignon vert émincé. Saler et poivrer. Ajouter 750 ml (3 tasses) de mâche et les suprêmes de 2 oranges. Remuer.

Pâte à pizza
300 g (⅔ de lb)

Sauce tomate aux fines herbes
125 ml (½ tasse)

12 tomates cerises
de couleurs variées
coupées en deux

Poulet
2 poitrines sans peau
cuites et émincées

Mozzarella légère 15 % M.G.
râpée
250 ml (1 tasse)

PRÉVOIR AUSSI :
➤ ½ **oignon rouge**
émincé

FACULTATIF :
➤ **Basilic**
30 ml (2 c. à soupe)
de feuilles

Pizza au poulet et tomates cerises

Préparation : **15 minutes** • Cuisson : **18 minutes** • Quantité : **4 portions**

Préparation

Préchauffer le four à 205 °C (400 °F).

Diviser la pâte en deux boules. Sur une surface légèrement farinée, abaisser chaque boule en un cercle de 25 cm (10 po) de diamètre.

Déposer les cercles de pâte sur des plaques de cuisson couvertes de papier parchemin. Garnir de sauce, de tomates cerises, d'oignon rouge, de poulet et de mozzarella. Cuire au four de 18 à 20 minutes, jusqu'à ce que la pâte soit dorée et le fromage gratiné.

Si désiré, parsemer de feuilles de basilic à la sortie du four.

PAR PORTION	
Calories	329
Protéines	24 g
Matières grasses	7 g
Glucides	44 g
Fibres	3 g
Fer	3 mg
Calcium	238 mg
Sodium	761 mg

Idée pour accompagner

Salade de roquette, radis et fenouil

Dans un saladier, mélanger 30 ml (2 c. à soupe) d'huile d'olive avec 15 ml (1 c. à soupe) de jus de citron et 15 ml (1 c. à soupe) d'assaisonnements italiens. Ajouter ½ fenouil émincé, 8 radis émincés et 500 ml (2 tasses) de roquette. Remuer.

164

Jus de pomme ❶
125 ml (½ tasse)

Bouillon de poulet ❷
125 ml (½ tasse)

Poulet ❸
4 poitrines sans peau
de 120 g (environ
¼ de lb) chacune

Crème sure ❹
légère 5 % M.G.
30 ml (2 c. à soupe)

Estragon ❺
haché
15 ml (1 c. à soupe)

PRÉVOIR AUSSI :
➤ **Moutarde de Dijon**
30 ml (2 c. à soupe)
➤ **Échalotes sèches**
(françaises)
hachées
30 ml (2 c. à soupe)

FACULTATIF :
➤ **Persil**
haché
15 ml (1 c. à soupe)

Poitrines de poulet, sauce crémeuse allégée

Préparation : **15 minutes** • Cuisson : **10 minutes** • Quantité : **4 portions**

Préparation

Dans un bol, fouetter le jus de pomme avec le bouillon et la moutarde. Saler et poivrer. Réserver.

Dans une poêle, chauffer un peu d'huile de canola à feu moyen. Faire dorer les poitrines de poulet de 2 à 3 minutes de chaque côté.

Ajouter les échalotes et cuire 1 minute.

Verser la préparation liquide et porter à ébullition. Laisser mijoter de 8 à 10 minutes à feu doux-moyen, jusqu'à ce que l'intérieur de la chair du poulet ait perdu sa teinte rosée.

Déposer les poitrines dans une assiette et couvrir d'une feuille de papier d'aluminium, sans serrer.

Dans la même poêle, mélanger la crème sure avec l'estragon et, si désiré, le persil. Réchauffer de 1 à 2 minutes en remuant. Servir avec les poitrines.

PAR PORTION	
Calories	201
Protéines	29 g
Matières grasses	6 g
Glucides	6 g
Fibres	1 g
Fer	1 mg
Calcium	28 mg
Sodium	231 mg

Idée pour accompagner

Riz pilaf aux légumes

Dans une casserole, chauffer un peu d'huile d'olive à feu moyen. Cuire 1 oignon haché 2 minutes. Ajouter 160 ml (⅔ de tasse) de riz à grains longs et remuer. Ajouter ½ poivron jaune et ½ poivron rouge coupés en lanières, 250 ml (1 tasse) de brocoli coupé en petits bouquets et 330 ml (1 ⅓ tasse) d'eau. Saler et poivrer. Porter à ébullition. Couvrir et cuire à feu doux 20 minutes.

Pennes de blé entier ❶
225 g (½ lb)

Haricots blancs ❷
rincés et égouttés
1 boîte de 540 ml

Ail ❸
1 gousse hachée

Lait évaporé 2 % ❹
de type Carnation
1 boîte de 370 ml

Parmesan ❺
râpé
250 ml (1 tasse)

PRÉVOIR AUSSI :
➤ **Farine**
45 ml (3 c. à soupe)

FACULTATIF :
➤ **Persil plat**
quelques feuilles
hachées

Pennes style Alfredo

Préparation : **15 minutes** • Cuisson : **10 minutes** • Quantité : **6 portions**

Préparation

Dans une casserole d'eau bouillante salée, cuire les pâtes *al dente*. Égoutter.

Dans le contenant du mélangeur, mélanger les haricots avec l'ail et le lait évaporé jusqu'à l'obtention d'une consistance lisse.

Ajouter la farine et mélanger jusqu'à ce que la préparation soit homogène.

Verser la préparation dans la casserole ayant servi à la cuisson des pâtes. Porter à ébullition.

Retirer du feu et incorporer le parmesan.

Ajouter les pâtes et remuer pour bien les enrober de sauce. Saler et poivrer.

Si désiré, garnir chaque portion de persil.

PAR PORTION	
Calories	366
Protéines	25 g
Matières grasses	7 g
Glucides	54 g
Fibres	7 g
Fer	4 mg
Calcium	472 mg
Sodium	343 mg

Idée pour accompagner

Salade de carottes en rubans

À l'aide d'une mandoline ou d'un économe, tailler de 2 à 3 carottes en rubans. Dans un saladier, fouetter 30 ml (2 c. à soupe) d'huile de tournesol avec 15 ml (1 c. à soupe) de vinaigre de cidre, 5 ml (1 c. à thé) de miel et 2,5 ml (½ c. à thé) de cari. Ajouter ½ oignon rouge émincé, 125 ml (½ tasse) de raisins rouges coupés en deux, 60 ml (¼ de tasse) d'amandes effilées rôties, 30 ml (2 c. à soupe) de persil haché et les rubans de carottes. Remuer.

Recette de Ève Godin, nutritionniste

Sauce soya
réduite en sodium
45 ml (3 c. à soupe) **1**

Cassonade
15 ml (1 c. à soupe) **2**

Gingembre
râpé
15 ml (1 c. à soupe) **3**

Huile de sésame grillé
2,5 ml (½ c. à thé) **4**

Bœuf
570 g (1 ¼ lb) de cubes
à brochettes **5**

PRÉVOIR AUSSI :
➤ **Huile d'olive**
10 ml (2 c. à thé)

FACULTATIF :
➤ **Graines de sésame**
au goût

Brochettes de bœuf teriyaki

Préparation : **15 minutes** • Marinage : **30 minutes** • Cuisson : **7 minutes** • Quantité : **4 portions**

Préparation

Dans un bol, mélanger la sauce soya avec la cassonade, le gingembre, l'huile de sésame et l'huile d'olive.

Déposer les cubes de bœuf dans le bol et remuer pour les enrober de marinade. Couvrir et laisser mariner de 30 minutes à 4 heures au frais.

Au moment de la cuisson, préchauffer le barbecue à puissance moyenne-élevée ou le four à 205 °C (400 °F).

Égoutter les cubes de bœuf et jeter la marinade. Piquer les cubes de bœuf sur des brochettes.

Pour la cuisson au barbecue : sur la grille chaude et huilée, cuire les brochettes de bœuf de 6 à 8 minutes en les retournant de temps en temps en cours de cuisson, jusqu'à ce que la viande soit grillée, mais la chair encore rosée.

Pour la cuisson au four : déposer les brochettes de bœuf sur une plaque de cuisson couverte de papier d'aluminium. Cuire de 7 à 9 minutes, en retournant les brochettes à mi-cuisson. Faire griller 1 minute à la position « gril » (broil).

Déposer les brochettes dans les assiettes. Saler et poivrer. Si désiré, parsemer de graines de sésame.

PAR PORTION	
Calories	218
Protéines	33 g
Matières grasses	7 g
Glucides	4 g
Fibres	0 g
Fer	4 mg
Calcium	18 mg
Sodium	490 mg

Idée pour accompagner

Bok choys à l'orange

Dans un bol, mélanger 30 ml (2 c. à soupe) de cassonade avec 45 ml (3 c. à soupe) de sauce soya réduite en sodium, 45 ml (3 c. à soupe) de jus d'orange, 1 gousse d'ail hachée finement et 5 ml (1 c. à thé) de fécule de maïs. Déposer 8 petits bok choys dans le bol et remuer pour les enrober de sauce. Faire griller les bok choys sur la grille chaude et huilée du barbecue de 3 à 4 minutes à puissance moyenne-élevée ou de 3 à 4 minutes à feu moyen-élevé dans une poêle huilée. Parsemer les bok choys du zeste de 1 orange.

Recette de Ève Godin, nutritionniste

Sauce barbecue à l'érable
250 ml (1 tasse)

①

Bière brune
1 bouteille de 341 ml

②

Poudre d'ail
15 ml (1 c. à soupe)

③

Moutarde de Dijon
30 ml (2 c. à soupe)

④

Porc
680 g (1 ½ lb) de filet

⑤

FACULTATIF:

➤ **Fumée liquide**
   quelques gouttes

Filet de porc, sauce barbecue à la bière

Préparation: **15 minutes** • Cuisson: **30 minutes** • Quantité: **4 portions**

Préparation

Dans une casserole, mélanger la sauce barbecue avec la bière, la poudre d'ail, la moutarde de Dijon et, si désiré, la fumée liquide. Laisser mijoter 15 minutes à feu doux.

Préchauffer le barbecue à puissance moyenne-élevée ou le four à 205 °C (400 °F).

Parer le filet de porc en retirant la membrane blanche.

Pour la cuisson au barbecue: sur la grille chaude et huilée, déposer le filet de porc et fermer le couvercle. Cuire de 13 à 15 minutes, jusqu'à ce que la température interne de la viande indique 68 °C (155 °F) sur un thermo-mètre à cuisson pour une cuisson rosée, en retournant le filet de porc de temps en temps. Badigeonner le filet de porc avec les trois quarts de la sauce barbecue à la bière et poursuivre la cuisson 5 minutes.

Pour la cuisson au four: déposer le filet de porc sur une plaque de cuisson couverte de papier parchemin. Cuire 15 minutes, en retournant le filet à mi-cuisson. Badigeonner le filet avec les trois quarts de la sauce barbecue à la bière et poursuivre la cuisson 5 minutes.

Déposer le filet de porc sur une planche à découper et couvrir d'une feuille de papier d'aluminium, sans serrer. Laisser reposer 10 minutes avant de servir.

Servir avec le reste de la sauce barbecue à la bière.

PAR PORTION	
Calories	385
Protéines	40 g
Matières grasses	3 g
Glucides	5 g
Fibres	0 g
Fer	2 mg
Calcium	15 mg
Sodium	828 mg

Idée pour accompagner

Carottes au miel et cumin

Dans une casserole, déposer 500 g (envi-ron 1 lb) de carottes de couleurs variées. Couvrir d'eau froide et saler. Porter à ébullition, puis cuire de 10 à 12 minutes, jusqu'à tendreté. Égoutter les carottes, puis les couper en deux sur la longueur. Dans une poêle, faire fondre 30 ml (2 c. à soupe) de beurre à feu moyen. Ajouter 30 ml (2 c. à soupe) de miel, 5 ml (1 c. à thé) de grains de cumin et les carottes. Saler et poivrer. Cuire de 2 à 3 minutes en remuant.

Bouillon de légumes
1 litre (4 tasses)

Vermicelles de riz
1 paquet de 250 g

Mélange de crevettes et de pétoncles surgelés
1 sac de 340 g

4 champignons shiitakes
émincés

1 carotte
émincée

PRÉVOIR AUSSI :
➤ **Sauce soya**
30 ml (2 c. à soupe)
➤ **2 oignons verts**
émincés

FACULTATIF :
➤ **Lime**
30 ml (2 c. à soupe)
de jus
➤ **Coriandre**
hachée
30 ml (2 c. à soupe)

Soupe-repas aux crevettes et pétoncles

Préparation : **10 minutes** • Cuisson : **20 minutes** • Quantité : **4 portions**

Préparation

Dans une casserole, porter à ébullition le bouillon de légumes avec la sauce soya et, si désiré, le jus de lime. Couvrir et laisser mijoter 15 minutes à feu moyen.

Pendant ce temps, réhydrater les vermicelles de riz selon les indications de l'emballage. Égoutter.

Ajouter les fruits de mer, les champignons, la carotte et les oignons verts dans la casserole. Laisser mijoter 5 minutes.

Répartir les vermicelles de riz dans quatre bols. Verser la soupe et, si désiré, parsemer de coriandre.

PAR PORTION	
Calories	237
Protéines	15 g
Matières grasses	1 g
Glucides	45 g
Fibres	2 g
Fer	1 mg
Calcium	41 mg
Sodium	753 mg

Idée pour accompagner

Salade de chou chinois et carotte

Émincer finement ½ chou chinois. Couper 1 carotte et ½ concombre en julienne. Dans un saladier, fouetter 60 ml (¼ de tasse) de vinaigrette japonaise (de type Wafu) avec 60 ml (¼ de tasse) de jus d'orange, 15 ml (1 c. à soupe) de jus de lime, 2 oignons verts émincés et 15 ml (1 c. à soupe) de graines de sésame. Ajouter les légumes. Saler, poivrer et remuer.

Lait de coco allégé ①
1 boîte de 398 ml

Poulet ②
225 g (½ lb) de
poitrines sans peau

Riz au jasmin ③
250 ml (1 tasse)

Sauce de poisson ④
30 ml (2 c. à soupe)

Chou nappa ⑤
taillé en lanières
375 ml (1 ½ tasse)

Salade de chou nappa et poulet poché au lait de coco

Préparation : **15 minutes** • Cuisson : **15 minutes** • Quantité : **4 portions**

Préparation

Dans une casserole, porter le lait de coco à ébullition. Déposer les poitrines de poulet dans le lait de coco. Couvrir et laisser mijoter 15 minutes à feu doux, jusqu'à ce que le poulet soit cuit.

Pendant ce temps, rincer le riz sous l'eau froide jusqu'à ce que l'eau soit claire. Dans une casserole, porter à ébullition 375 ml (1 ½ tasse) d'eau avec le riz. Couvrir et cuire 12 minutes à feu doux, jusqu'à ce que le riz soit tendre. Laisser tiédir.

Déposer les poitrines sur une planche à découper et laisser tiédir. Réserver 45 ml (3 c. à soupe) de lait de coco et réserver le reste pour un usage ultérieur (voir exemple de recette page 130).

Dans un saladier, fouetter la sauce de poisson avec le jus de lime, le lait de coco réservé et, si désiré, le piment thaï.

Effilocher la chair du poulet, puis déposer dans le saladier.

Ajouter le riz, le chou nappa, les oignons verts et, si désiré, la menthe dans le saladier. Remuer.

PAR PORTION	
Calories	200
Protéines	16 g
Matières grasses	7 g
Glucides	17 g
Fibres	1 g
Fer	2 mg
Calcium	37 mg
Sodium	763 mg

Option santé

Pocher le poulet dans un liquide (bouillon, lait de coco, etc.) est sans contredit la manière la plus saine d'apprêter cette viande ! Puisque cette technique de cuisson ne requiert ni huile ni beurre, n'hésitez pas à l'utiliser pour vos recettes afin de créer des festins plus santé !

PRÉVOIR AUSSI :
➤ **Lime**
30 ml (2 c. à soupe)
de jus

➤ **3 oignons verts**
hachés

FACULTATIF :
➤ **1 petit piment thaï**
haché

➤ **Menthe**
hachée
60 ml (¼ de tasse)

Recette de Ève Godin, nutritionniste

**Mélange de légumes
surgelés de type
asiatique**
décongelés
375 ml (1 ½ tasse)

❶

Ciboulette ❷
hachée
15 ml (1 c. à soupe)

Citron ❸
30 ml (2 c. à soupe)
de jus

Épices cajun ❹
15 ml (1 c. à soupe)

Sole ❺
8 filets de 90 g
(environ 3 oz) chacun

PRÉVOIR AUSSI :
➤ **Huile d'olive**
30 ml (2 c. à soupe)

FACULTATIF :
➤ **Persil**
haché
15 ml (1 c. à soupe)

Papillote de sole et légumes

Préparation : **15 minutes** • Cuisson : **10 minutes** • Quantité : **4 portions**

Préparation

Préchauffer le four à 205 °C (400 °F).

Dans un bol, mélanger les légumes avec la ciboulette,
le jus de citron, les épices cajun, l'huile d'olive et, si
désiré, le persil.

Répartir le mélange de légumes au centre de quatre
grandes feuilles de papier d'aluminium. Déposer les filets
de sole sur les légumes. Saler et poivrer. Replier les
feuilles de manière à former des papillotes hermétiques.

Cuire au four de 10 à 15 minutes, jusqu'à ce que
les papillotes soient gonflées.

PAR PORTION	
Calories	249
Protéines	35 g
Matières grasses	9 g
Glucides	5 g
Fibres	1 g
Fer	1 mg
Calcium	52 mg
Sodium	210 mg

Idée pour accompagner

Pennes aux champignons

Dans une casserole d'eau bouillante salée, cuire 560 ml (2 ¼ tasses) de pennes
al dente. Égoutter. Dans la même casserole, faire fondre 30 ml (2 c. à soupe)
de beurre à feu moyen. Cuire 1 oignon haché et 5 ml (1 c. à thé)
d'ail haché de 1 à 2 minutes. Ajouter 10 champignons émincés
et cuire de 2 à 3 minutes. Saupoudrer de 45 ml (3 c. à soupe)
de farine et remuer. Verser 375 ml (1 ½ tasse) de bouillon de
poulet et porter à ébullition. Ajouter les pâtes et 45 ml (3 c. à
soupe) de persil haché. Saler, poivrer et remuer.

8 pommes de terre grelots ①

Yogourt grec nature 0 % ②
90 ml (6 c. à soupe)

1 concombre ③

Aneth ④
haché
30 ml (2 c. à soupe)

Truite fumée ⑤
225 g (½ lb)
de tranches

PRÉVOIR AUSSI :
➤ **1 citron**
jus

FACULTATIF :
➤ **Persil**
haché
15 ml (1 c. à soupe)

➤ **Radis**
tranchés finement
125 ml (½ tasse)

Salade de pommes de terre et truite fumée

Préparation : **15 minutes** • Cuisson : **20 minutes** • Quantité : **4 portions**

Préparation

Dans une casserole d'eau bouillante salée, cuire les pommes de terre 20 minutes, jusqu'à ce qu'elles soient légèrement croquantes. Égoutter et laisser tiédir.

Dans un saladier, fouetter le yogourt avec le jus de citron et, si désiré, le persil. Saler et poivrer.

Peler, épépiner et tailler le concombre en longs rubans à l'aide d'un économe. Trancher les pommes de terre.

Dans le saladier, ajouter les rubans de concombre, l'aneth et, si désiré, les radis. Mélanger délicatement.

Dans une assiette, disposer les tranches de pommes de terre en rosace. Garnir de salade de légumes et de tranches de truite fumée. Si désiré, verser un filet d'huile d'olive et saupoudrer de fleur de sel.

Option santé

Pour des trempettes et des vinaigrettes allégées, on a tout intérêt à préférer le yogourt grec à la mayonnaise ou à la crème sure ! Les yogourts grecs 0 ou 2 % proposent tous deux la même texture riche que l'on adore. Toutefois, la version à 0 % M.G. est plus protéinée, moins grasse et moins calorique que la version à 2 % M.G. En effet, 180 ml (¾ de tasse) de yogourt grec nature 0 % fournissent 17 g de protéines, 100 calories et 0 g de lipides, alors que la même quantité de yogourt grec nature 2 % procure 16 g de protéines, 120 calories et 3,5 g de lipides.

PAR PORTION	
Calories	239
Protéines	19 g
Matières grasses	5 g
Glucides	30 g
Fibres	5 g
Fer	1 mg
Calcium	65 mg
Sodium	457 mg

Recette de Ève Godin, nutritionniste

Bière brune ❶
250 ml (1 tasse)

Ketchup ❷
160 ml (⅔ de tasse)

Sauce soya ❸
réduite en sodium
80 ml (⅓ de tasse)

Poudre d'oignons ❹
5 ml (1 c. à thé)

Poulet ❺
4 poitrines sans peau

Poitrines de poulet, sauce thaï à la bière

Préparation : **15 minutes** • Cuisson : **15 minutes** • Quantité : **4 portions**

Préparation

Préchauffer le barbecue à puissance moyenne-élevée ou le four à 205°C (400°F).

Dans une casserole, porter à ébullition la bière avec le ketchup, la sauce soya, la poudre d'oignons, la casso-nade, l'ail et, si désiré, la sauce sriracha. Laisser mijoter à feu doux de 10 à 12 minutes, jusqu'à l'obtention d'une consistance onctueuse. Verser le quart de la sauce dans un bol et réserver. Couvrir la casserole contenant le reste de la sauce et réserver.

Pour la cuisson au barbecue : sur la grille chaude et hui-lée, déposer les poitrines de poulet et les badigeonner avec la sauce réservée dans le bol. Fermer le couvercle et cuire de 15 à 18 minutes, en retournant les poitrines de temps en temps et en les badigeonnant, jusqu'à ce que l'intérieur de la chair du poulet ait perdu sa teinte rosée.

Pour la cuisson au four : déposer les poitrines de poulet sur une plaque de cuisson tapissée de papier parchemin. Badigeonner le poulet avec la sauce réservée dans le bol. Cuire de 18 à 20 minutes, en retournant les poitrines à mi-cuisson et en les badigeonnant, jusqu'à ce que l'inté-rieur de la chair du poulet ait perdu sa teinte rosée.

Répartir les poitrines de poulet dans les assiettes. Napper avec la sauce réservée dans la casserole. Si désiré, garnir de feuilles de coriandre.

PAR PORTION	
Calories	284
Protéines	33 g
Matières grasses	2 g
Glucides	29 g
Fibres	1 g
Fer	1 mg
Calcium	40 mg
Sodium	1 289 mg

Idée pour accompagner

Salade de chou crémeuse et poivrons

Dans un saladier, mélanger 125 ml (½ tasse) de mayonnaise avec 15 ml (1 c. à soupe) d'huile d'olive, 30 ml (2 c. à soupe) de zestes de lime, 60 ml (¼ de tasse) de jus de lime, 60 ml (¼ de tasse) de coriandre hachée, 15 ml (1 c. à soupe) de miel et 2,5 ml (½ c. à thé) de cumin. Ajouter ½ petit chou vert émincé, 1 carotte taillée en julienne, 1 petit poivron rouge taillé en julienne et 1 oignon vert émincé. Saler et poivrer. Remuer.

PRÉVOIR AUSSI :
➤ **Cassonade**
80 ml (⅓ de tasse)

➤ **Ail**
haché
30 ml (2 c. à soupe)

FACULTATIF :
➤ **Sauce sriracha**
7,5 ml (½ c. à soupe)

➤ **Coriandre**
30 ml (2 c. à soupe)
de feuilles

Plus de calcium

Il n'y a pas que les produits laitiers qui peuvent nous fournir une bonne dose de calcium ! Ce minéral indispensable à la santé se retrouve également dans d'autres aliments, tels les légumes feuillus vert foncé et le tofu. Voici des plats qui procurent un minimum de 275 mg de calcium par portion et qui exciteront à coup sûr les papilles de toute la tablée !

Mini-pains de viande gratinés

Préparation : **15 minutes** • Cuisson : **22 minutes** • Quantité : **4 portions**

Préparation

Préchauffer le four à 180 °C (350 °F).

Dans un bol, mélanger le porc haché avec le parmesan, le germe de blé, l'œuf battu, l'oignon et, si désiré, le basilic à l'aide des doigts sans compresser la viande.

Diviser la préparation en quatre parts. Sur une plaque de cuisson tapissée d'une feuille de papier parchemin, façonner chacune des portions en forme de petit pain. Napper de sauce marinara. Cuire au four de 20 à 25 minutes.

Parsemer les pains de viande de mozzarella. Prolonger la cuisson de 2 à 3 minutes à la position « gril » (*broil*).

PAR PORTION	
Calories	496
Protéines	36 g
Matières grasses	30 g
Glucides	18 g
Fibres	2 g
Fer	4 mg
Calcium	328 mg
Sodium	673 mg

Porc haché maigre ❶
450 g (1 lb)

Parmesan ❷
râpé
80 ml (⅓ de tasse)

Germe de blé ❸
60 ml (¼ de tasse)

Sauce marinara ❹
250 ml (1 tasse)

Idée pour accompagner

Poêlée de brocoli et champignons

Dans un bol, fouetter 80 ml (⅓ de tasse) de bouillon de poulet avec 5 ml (1 c. à thé) de fécule de maïs. Dans une poêle, chauffer 15 ml (1 c. à soupe) d'huile de canola à feu moyen. Faire dorer 8 champignons émincés, 6 shiitakes émincés et 1 oignon émincé de 2 à 3 minutes. Ajouter 5 ml (1 c. à thé) d'ail haché et 1 brocoli coupé en petits bouquets. Cuire de 2 à 3 minutes. Verser le bouillon et chauffer jusqu'aux premiers frémissements en remuant.

Mozzarella ❺
râpée
250 ml (1 tasse)

PRÉVOIR AUSSI :
➤ 1 **œuf**
battu

➤ 1 **oignon**
haché

FACULTATIF :
➤ **Basilic**
haché
30 ml (2 c. à soupe)

12 lasagnes ①

1 petit chou-fleur ②
haché

Jambon ③
500 g (environ 1 lb)
de tranches

3 courgettes ④
émincées finement

**Mélange de quatre
fromages italiens
râpés** ⑤
500 ml (2 tasses)

PRÉVOIR AUSSI :
➤ **Beurre**
non salé
60 ml (¼ de tasse)
➤ **Farine**
125 ml (½ tasse)
➤ **Lait**
1 litre (4 tasses)

FACULTATIF :
➤ **Poivrons rouges
grillés**
égouttés
500 ml (2 tasses)

Lasagne au jambon,
sauce béchamel au chou-fleur

Préparation : **15 minutes** • Cuisson : **50 minutes** • Quantité : **8 portions**

Préparation

Préchauffer le four à 180 °C (350 °F).

Dans une casserole d'eau bouillante salée, cuire les pâtes *al dente*. Égoutter.

Dans une autre casserole, faire fondre le beurre à feu moyen. Cuire le chou-fleur de 2 à 3 minutes en remuant.

Saupoudrer de farine. Saler, poivrer et remuer.

Verser le lait et porter à ébullition en fouettant. Laisser mijoter à feu doux de 4 à 5 minutes.

Transférer la préparation dans le contenant du mélangeur. Mélanger jusqu'à l'obtention d'une consistance lisse.

Verser un peu de béchamel au chou-fleur dans le fond d'un plat de cuisson de 33 cm x 23 cm (13 po x 9 po). Déposer quatre lasagnes au fond du plat. Couvrir de la moitié du jambon, de la moitié des courgettes et, si désiré, de la moitié des poivrons rouges grillés. Couvrir d'un peu de béchamel. Répéter une fois, puis couvrir des quatre dernières lasagnes et de fromage.

Couvrir d'une feuille de papier d'aluminium et cuire au four de 20 à 25 minutes.

Retirer la feuille de papier d'aluminium et poursuivre la cuisson 20 minutes.

Idée pour accompagner

Croûtons au pesto de tomates séchées

Couper ½ baguette de pain en 12 tranches. Dans un bol, mélanger 45 ml (3 c. à soupe) d'huile d'olive avec 15 ml (1 c. à soupe) de pesto aux tomates séchées, 5 ml (1 c. à thé) d'ail haché et 30 ml (2 c. à soupe) de persil haché. Badigeonner les tranches de pain avec cette préparation, puis les déposer sur une plaque de cuisson tapissée d'une feuille de papier parchemin. Cuire au four de 8 à 10 minutes à 205 °C (400 °F).

PAR PORTION	
Calories	450
Protéines	26 g
Matières grasses	19 g
Glucides	45 g
Fibres	3 g
Fer	2 mg
Calcium	364 mg
Sodium	1 389 mg

Gouda ❶
râpé
310 ml (1 ¼ tasse)

Pacanes ❷
en morceaux ou
hachées grossièrement
80 ml (⅓ de tasse)

Prosciutto ❸
4 tranches coupées
en petits morceaux

Poulet ❹
4 poitrines sans peau
de 150 g (⅓ de lb)
chacune

**Sauce barbecue
à l'érable** ❺
80 ml (⅓ de tasse)

PRÉVOIR AUSSI :
➤ **Bouillon de poulet**
125 ml (½ tasse)

FACULTATIF :
➤ **Marjolaine**
hachée
15 ml (1 c. à soupe)

Poitrines de poulet farcies au gouda et pacanes

Préparation : **15 minutes** • Cuisson : **10 minutes** • Quantité : **4 portions**

Préparation

Dans un bol, mélanger le gouda râpé avec les pacanes, le prosciutto et, si désiré, la marjolaine.

À l'aide d'un petit couteau, pratiquer une incision au centre de chaque poitrine afin de créer une pochette pour la farce. À l'aide d'une petite cuillère, farcir les poitrines avec la garniture. Fixer avec un cure-dent pour maintenir la farce à l'intérieur.

Dans une poêle, chauffer un peu d'huile d'olive à feu moyen. Faire dorer les poitrines de poulet 1 minute de chaque côté.

Verser la sauce et le bouillon dans la poêle. Couvrir et cuire de 10 à 12 minutes, jusqu'à ce que l'intérieur de la chair du poulet ait perdu sa teinte rosée, en retournant les poitrines à mi-cuisson.

PAR PORTION	
Calories	477
Protéines	50 g
Matières grasses	24 g
Glucides	2 g
Fibres	1 g
Fer	1 mg
Calcium	321 mg
Sodium	959 mg

Idée pour accompagner

Purée de pommes de terre à l'ail rôti

Couper 1 tête d'ail en deux. Déposer sur une feuille de papier d'aluminium et arroser de 15 ml (1 c. à soupe) d'huile d'olive. Sceller et cuire au four de 15 à 18 minutes à 205 °C (400 °F). Pendant ce temps, déposer 5 grosses pommes de terre pelées et coupées en cubes dans une casserole d'eau froide salée. Porter à ébullition, puis cuire jusqu'à tendreté. Égoutter, puis réduire en purée. Peler les gousses d'ail et incorporer la chair des gousses à la purée avec 125 ml (½ tasse) de lait et 45 ml (3 c. à soupe) de ciboulette hachée. Saler et poivrer.

4 pommes de terre ①

1 poivron rouge ②

1 oignon ③

8 saucisses de Toulouse ou saucisses bacon et cheddar
de 100 g (3 ½ oz) chacune ④

Mélange de quatre fromages italiens râpés ⑤
375 ml (1 ½ tasse)

Papillote de saucisses de Toulouse, légumes et fromage fondant

Préparation : **15 minutes** • Cuisson : **25 minutes** • Quantité : **4 portions**

Préparation

Préchauffer le barbecue à puissance moyenne-élevée ou le four à 190 °C (375 °F).

Couper les pommes de terre, le poivron et l'oignon en petits cubes.

Dans un bol, mélanger les légumes avec un peu d'huile d'olive et, si désiré, le thym.

Pour la cuisson au barbecue: sur la grille chaude et huilée, faire griller les saucisses de 1 à 2 minutes.

Pour la cuisson à la poêle: chauffer un peu d'huile d'olive à feu moyen dans une poêle. Saisir les saucisses de 1 à 2 minutes.

Au centre d'une grande feuille de papier d'aluminium, répartir le mélange de légumes. Déposer les saucisses grillées sur les légumes. Replier la feuille de papier d'aluminium de manière à former une papillote hermétique.

Pour la cuisson au barbecue: sur la grille chaude, déposer la papillote et fermer le couvercle. Cuire de 25 à 30 minutes, jusqu'à ce que la papillote soit gonflée.

Pour la cuisson au four: cuire la papillote de 25 à 30 minutes, jusqu'à ce qu'elle soit gonflée.

Ouvrir la papillote. Parsemer les saucisses et les légumes de fromage.

PAR PORTION	
Calories	517
Protéines	29 g
Matières grasses	28 g
Glucides	39 g
Fibres	4 g
Fer	3 mg
Calcium	304 mg
Sodium	810 mg

Option santé

Ce repas complet qui fera plaisir à toute la famille comprend trois des quatre groupes alimentaires. Il s'agit d'une bonne option si vous souhaitez consommer plus de calcium, de fibres et de fer. En effet, cette recette est une source élevée de fer et une excellente source de fibres.

FACULTATIF :
➤ **Thym**
1 tige

8 lasagnes ❶

Bébés épinards ❷
1 paquet de 142 g

Ricotta allégée ❸
égouttée
250 ml (1 tasse)

Coulis de tomates ❹
160 ml (⅔ de tasse)

Mozzarella ❺
râpée
250 ml (1 tasse)

PRÉVOIR AUSSI :
➤ **Chapelure nature**
60 ml (¼ de tasse)

➤ **1 œuf**
battu

FACULTATIF :
➤ **Parmesan**
râpé
60 ml (¼ de tasse)

Rouleaux de lasagne aux épinards et ricotta

Préparation : **15 minutes** • Cuisson : **38 minutes** • Quantité : **4 portions**

Préparation

Préchauffer le four à 180 °C (350 °F).

Dans une casserole d'eau bouillante salée, cuire les lasagnes *al dente*. Égoutter.

Dans une poêle, chauffer un peu d'huile d'olive à feu moyen. Cuire les bébés épinards de 2 à 3 minutes. Retirer du feu et laisser tiédir 10 minutes.

Incorporer la ricotta, la chapelure, l'œuf battu et, si désiré, le parmesan aux épinards. Saler et poivrer.

Verser le coulis de tomates dans un moule à haut rebord.

Sur le plan de travail, déposer les lasagnes. Répartir la farce au milieu des lasagnes, puis rouler. Déposer les rouleaux à la verticale dans le moule.

Garnir de mozzarella. Cuire au four 25 minutes, jusqu'à ce que le fromage gratine.

PAR PORTION	
Calories	500
Protéines	31 g
Matières grasses	17 g
Glucides	59 g
Fibres	2 g
Fer	3 mg
Calcium	537 mg
Sodium	385 mg

Idée pour accompagner

Salade de roquette aux noix de pin rôties

Dans un saladier, mélanger 60 ml (¼ de tasse) d'huile d'olive avec 15 ml (1 c. à soupe) de vinaigre de cidre et 30 ml (2 c. à soupe) de ciboulette hachée. Saler et poivrer. Ajouter 750 ml (3 tasses) de roquette et 45 ml (3 c. à soupe) de noix de pin rôties. Remuer.

6 carottes arc-en-ciel ①
coupées en deux
sur la longueur

Chou-fleur ②
coupé en petits
bouquets
500 ml (2 tasses)

Brocoli ③
coupé en petits
bouquets
500 ml (2 tasses)

Haricots blancs ④
rincés et égouttés
1 boîte de 540 ml

Feta ⑤
émiettée
100 g (3 ½ oz)

FACULTATIF :
➤ **Poivrons rouges
grillés**
en lanières
125 ml (½ tasse)

➤ **Ciboulette**
hachée
45 ml (3 c. à soupe)

Salade de haricots blancs et feta

Préparation : **15 minutes** • Cuisson : **6 minutes** • Quantité : **4 portions**

Préparation

Dans une casserole d'eau bouillante, cuire les carottes de 2 à 3 minutes.

Ajouter le chou-fleur et cuire de 1 à 2 minutes.

Ajouter le brocoli et cuire de 1 à 2 minutes, en prenant soin de conserver les légumes légèrement croquants. Rincer sous l'eau froide pour mettre fin à la cuisson.

Déposer les légumes dans un saladier et ajouter les haricots blancs, la feta et, si désiré, les poivrons grillés et la ciboulette. Saler et poivrer.

PAR PORTION	
Calories	311
Protéines	18 g
Matières grasses	6 g
Glucides	49 g
Fibres	12 g
Fer	6 mg
Calcium	303 mg
Sodium	384 mg

Idée pour accompagner

Vinaigrette au cari

Mélanger 30 ml (2 c. à soupe) d'huile d'olive avec 30 ml (2 c. à soupe) de jus de citron, 5 ml (1 c. à thé) de cari et 5 ml (1 c. à thé) de sambal oelek.

**Vinaigrette
au sésame**
du commerce
160 ml (⅔ de tasse)

❶

Tofu ferme
coupé en dés
1 paquet de 454 g

❷

Fèves germées
250 ml (1 tasse)

❸

2 courgettes
coupées en julienne

❹

1 carotte
coupée en julienne
ou râpée

❺

FACULTATIF :
➤ 1 **poivron rouge**
émincé

➤ **Arachides**
grossièrement
hachées
60 ml (¼ de tasse)

PRÉVOIR AUSSI :
➤ 2 **oignons verts**
hachés

Salade de courgettes
et tofu façon pad thaï

Préparation : **15 minutes** • Marinage : **30 minutes** • Cuisson : **4 minutes** • Quantité : **4 portions**

Préparation

Verser 60 ml (¼ de tasse) de vinaigrette dans un sac hermétique. Ajouter les dés de tofu et secouer. Laisser mariner de 30 minutes à 8 heures au frais.

Dans un saladier, verser le reste de la vinaigrette. Ajouter les fèves germées, les courgettes, la carotte et, si désiré, le poivron rouge. Remuer et réserver au frais.

Au moment de la cuisson, égoutter les dés de tofu et les éponger à l'aide de papier absorbant.

Dans une grande poêle, chauffer un peu d'huile d'arachide ou de canola à feu moyen-élevé. Faire dorer le tofu de 4 à 5 minutes en remuant.

Répartir la salade dans des bols. Garnir de dés de tofu, d'oignons verts et, si désiré, d'arachides.

PAR PORTION	
Calories	340
Protéines	20 g
Matières grasses	23 g
Glucides	23 g
Fibres	4 g
Fer	7 mg
Calcium	303 mg
Sodium	299 mg

Version maison

Vinaigrette au sésame

Mélanger 60 ml (¼ de tasse) de beurre de sésame (tahini) avec 45 ml (3 c. à soupe) de sauce soya réduite en sodium, 15 ml (1 c. à soupe) de vinaigre de riz, 15 ml (1 c. à soupe) de jus de lime, 15 ml (1 c. à soupe) de miel, 10 ml (2 c. à thé) de sauce de poisson et 5 ml (1 c. à thé) de graines de sésame.

Macaroni ①
350 g (environ ¾ de lb)

Cheddar jaune ②
râpé
375 ml (1 ½ tasse)

Mélange laitier pour cuisson 5 % ③
125 ml (½ tasse)

Lait ④
250 ml (1 tasse)

Chapelure nature ⑤
125 ml (½ tasse)

PRÉVOIR AUSSI :
➤ **Fécule de maïs**
15 ml (1 c. à soupe)
➤ **Beurre**
45 ml (3 c. à soupe)

FACULTATIF :
➤ **Ail**
haché
5 ml (1 c. à thé)
➤ **Ciboulette**
hachée
30 ml (2 c. à soupe)

Macaroni au fromage express

Préparation : **15 minutes** • Cuisson : **13 minutes** • Quantité : **de 4 à 6 portions**

Préparation

Dans une casserole d'eau bouillante salée, cuire les pâtes *al dente*. Égoutter.

Pendant ce temps, mélanger le cheddar avec la fécule de maïs dans un bol.

Dans une casserole, faire fondre 15 ml (1 c. à soupe) de beurre à feu doux-moyen. Si désiré, faire revenir l'ail 30 secondes en remuant. Verser le mélange laitier pour cuisson et le lait. Saler, poivrer et porter à ébullition.

Ajouter le cheddar et, si désiré, la ciboulette graduellement en remuant. Ajouter les pâtes et remuer.

Dans un bol, faire fondre le reste du beurre au micro-ondes. Ajouter la chapelure et remuer.

Verser les pâtes dans un plat allant au four de 20 cm (8 po). Parsemer du mélange de chapelure. Faire gratiner au four de 3 à 4 minutes à la position « gril » (*broil*).

PAR PORTION	
Calories	473
Protéines	18 g
Matières grasses	19 g
Glucides	56 g
Fibres	2 g
Fer	3 mg
Calcium	304 mg
Sodium	341 mg

Idée pour accompagner

Croûtons aux fines herbes

Couper ¼ de pain baguette en tranches fines. Dans un bol, mélanger 60 ml (¼ de tasse) de beurre fondu avec 30 ml (2 c. à soupe) de ciboulette hachée et 5 ml (1 c. à thé) de thym haché. Badigeonner les tranches de pain avec cette préparation. Déposer sur une plaque de cuisson tapissée de papier parchemin et faire griller au four de 8 à 10 minutes à 205 °C (400 °F).

1 poivron jaune ①

1 courgette ②

8 mini-pains naan ③

Sauce à pizza
250 ml (1 tasse) ④

**Mélange de quatre
fromages italiens râpés**
500 ml (2 tasses) ⑤

PRÉVOIR AUSSI :
➤ ½ **oignon rouge**

FACULTATIF :
➤ **Basilic**
 au goût

Mini-pizzas aux légumes grillés

Préparation : **15 minutes** • Cuisson : **15 minutes** • Quantité : **4 portions**

Préparation

Préchauffer le barbecue à puissance élevée ou le four
à 205 °C (400 °F).

Émincer finement le poivron jaune, la courgette
et l'oignon rouge.

Sur la grille chaude et huilée du barbecue ou dans une
poêle avec un peu d'huile d'olive, cuire les légumes de
2 à 3 minutes de chaque côté.

Badigeonner les mini-pains naan de sauce à pizza.
Garnir de légumes grillés. Parsemer de fromage.

Pour la cuisson au barbecue : sur la grille chaude et
huilée, cuire les mini-pizzas de 5 à 7 minutes à puissance moyenne, jusqu'à ce qu'elles soient dorées
et croustillantes.

Pour la cuisson au four : sur une plaque de cuisson
tapissée de papier parchemin, déposer les pizzas. Cuire
au four de 10 à 12 minutes, jusqu'à ce qu'elles soient
dorées et croustillantes.

Si désiré, parsemer de basilic au moment de servir.

PAR PORTION	
2 mini-pizzas	
Calories	520
Protéines	25 g
Matières grasses	19 g
Glucides	64 g
Fibres	4 g
Fer	4 mg
Calcium	443 mg
Sodium	1 332 mg

Idée pour accompagner

Tomates à l'estragon

Dans un saladier, fouetter 60 ml
(¼ de tasse) d'huile d'olive avec 45 ml
(3 c. à soupe) de sirop d'érable, 45 ml
(3 c. à soupe) d'échalotes sèches (françaises) hachées, 30 ml
(2 c. à soupe) de vinaigre balsamique, 30 ml (2 c. à soupe) d'estragon haché et 15 ml (1 c. à soupe) de moutarde à l'ancienne.
Saler et poivrer. Ajouter 500 g (environ 1 lb) de tomates cerises
de couleurs variées coupées en deux. Remuer.

Tofu ferme ❶
1 bloc de 454 g

Fécule de maïs ❷
30 ml (2 c. à soupe)

3 oignons verts ❸
hachés

Ail ❹
1 gousse hachée
finement

Sauce Général Tao ❺
du commerce
250 ml (1 tasse)

PRÉVOIR AUSSI :
➤ Huile de canola
45 ml (3 c. à soupe)

FACULTATIF :
➤ Graines de sésame
au goût

Tofu style Général Tao

Préparation : **15 minutes** • Cuisson : **12 minutes** • Quantité : **4 portions**

Préparation

Couper le tofu en dés d'environ 2 cm (¾ de po). Éponger les dés de tofu avec du papier absorbant.

Dans un bol, déposer la fécule de maïs et ajouter les dés de tofu. Mélanger pour bien enrober le tofu et secouer entre les mains pour retirer l'excédent de fécule de maïs.

Dans une grande poêle antiadhésive, chauffer la moitié de l'huile de canola à feu élevé. Cuire la moitié des cubes de tofu 4 minutes, jusqu'à ce qu'ils soient légèrement colorés sur toutes les faces. Déposer sur du papier absorbant. Répéter avec le reste du tofu.

Dans la même poêle, cuire les oignons verts et l'ail quelques secondes. Verser la sauce et porter à ébullition.

Ajouter les cubes de tofu et mélanger pour que le tofu soit bien enrobé de sauce. Servir immédiatement. Si désiré, garnir de graines de sésame.

PAR PORTION	
Calories	299
Protéines	17 g
Matières grasses	23 g
Glucides	23 g
Fibres	1 g
Fer	4 mg
Calcium	285 mg
Sodium	476 mg

Version maison

Sauce Général Tao

Mélanger 80 ml (⅓ de tasse) d'eau avec 30 ml (2 c. à soupe) de cassonade, 30 ml (2 c. à soupe) de sauce soya réduite en sodium, 20 ml (4 c. à thé) de ketchup, 20 ml (4 c. à thé) de vinaigre de riz, 15 ml (1 c. à soupe) de fécule de maïs, 2,5 ml (½ c. à thé) de flocons de piment et 2,5 ml (½ c. à thé) d'huile de sésame grillé.

Recette de Ève Godin, nutritionniste

Poulet ①
2 poitrines sans peau

Chapelure panko ②
250 ml (1 tasse)

Parmesan ③
râpé
80 ml (⅓ de tasse)

Mozzarella ④
râpée
250 ml (1 tasse)

Sauce marinara ⑤
250 ml (1 tasse)

PRÉVOIR AUSSI :
➤ **Farine**
80 ml (⅓ de tasse)
➤ **2 œufs**

FACULTATIF :
➤ **Basilic**
quelques feuilles
émincées

Escalopes de poulet parmigiana

Préparation : **15 minutes** • Cuisson : **10 minutes** • Quantité : **4 portions**

Préparation

Couper les poitrines de poulet en deux sur l'épaisseur afin de former des escalopes.

Préparer trois assiettes creuses. Dans la première, verser la farine. Dans la deuxième, battre les œufs. Dans la troisième, mélanger la chapelure avec le parmesan. Fariner les escalopes, les tremper dans les œufs battus, puis les enrober de chapelure.

Préchauffer le four à 180 °C (350 °F).

Dans une poêle allant au four, chauffer un peu d'huile d'olive à feu moyen. Faire dorer les escalopes de 2 à 3 minutes de chaque côté à feu doux-moyen. Retirer du feu.

Répartir la mozzarella sur les escalopes et napper de sauce.

Cuire au four de 6 à 8 minutes, jusqu'à ce que l'intérieur de la chair du poulet ait perdu sa teinte rosée.

Si désiré, garnir de basilic au moment de servir.

PAR PORTION	
Calories	395
Protéines	37 g
Matières grasses	15 g
Glucides	27 g
Fibres	2 g
Fer	2 mg
Calcium	297 mg
Sodium	668 mg

Idée pour accompagner

Pâtes persillées

Dans une casserole d'eau bouillante salée, cuire 250 g (environ ½ lb) de fettucines *al dente*. Égoutter. Remettre les pâtes dans la casserole et mélanger avec 30 ml (2 c. à soupe) d'huile d'olive et 30 ml (2 c. à soupe) de persil haché. Saler et poivrer.

Pennes
1 boîte de 340 g ①

12 choux de Bruxelles ②

Bacon ③
8 tranches

Œufs ④
4 jaunes

Parmesan ⑤
râpé
125 ml (½ tasse)

PRÉVOIR AUSSI :
➤ **Lait**
310 ml (1 ¼ tasse)

➤ **Ail**
haché
5 ml (1 c. à thé)

FACULTATIF :
➤ **Flocons de piment**
1,25 ml
(¼ de c. à thé)

Pennes aux choux de Bruxelles et bacon croustillant

Préparation : **15 minutes** • Cuisson : **10 minutes** • Quantité : **4 portions**

Préparation

Dans une casserole d'eau bouillante salée, cuire les pâtes *al dente*. Égoutter.

Pendant ce temps, parer les choux de Bruxelles, puis les couper en deux.

Dans une poêle, chauffer un peu d'huile d'olive à feu moyen. Cuire les choux de Bruxelles de 3 à 4 minutes, jusqu'à ce qu'ils soient tendres et dorés. Saler et poivrer. Réserver au chaud.

Déposer les tranches de bacon entre deux feuilles de papier absorbant. Cuire au micro-ondes de 5 à 8 minutes en vérifiant la cuisson de temps en temps. Égoutter sur du papier absorbant. Laisser tiédir.

Dans la casserole ayant servi à cuire les pâtes, fouetter les jaunes d'œufs avec le lait, l'ail et, si désiré, les flocons de piment. Chauffer jusqu'aux premiers frémissements à feu doux-moyen en fouettant, sans laisser bouillir.

Ajouter le parmesan et les pâtes. Réchauffer 1 minute.

Émietter le bacon.

Répartir les pâtes dans les assiettes. Garnir chacune des portions de choux de Bruxelles et de bacon.

PAR PORTION	
Calories	528
Protéines	26 g
Matières grasses	15 g
Glucides	73 g
Fibres	7 g
Fer	5 mg
Calcium	305 mg
Sodium	406 mg

Idée pour accompagner

Rubans de légumes au piment d'Espelette

À l'aide d'un économe, couper en fins rubans 2 carottes et 2 courgettes vertes. Dans un saladier, mélanger 60 ml (¼ de tasse) d'huile d'olive avec 15 ml (1 c. à soupe) de jus de citron, 5 ml (1 c. à thé) de thym haché et 2,5 ml (½ c. à thé) de piment d'Espelette. Ajouter les légumes. Saler et remuer.

**4 petits pains
baguette ou paninis** ①

Crème fraîche ②
180 ml (¾ de tasse)

Moutarde à l'ancienne ③
15 ml (1 c. à soupe)

Jambon fumé ④
16 tranches

Gruyère ⑤
râpé
375 ml (1 ½ tasse)

PRÉVOIR AUSSI :
➤ **Ciboulette**
hachée
30 ml (2 c. à soupe)

FACULTATIF :
➤ **Piment d'Espelette**
5 ml (1 c. à thé)

Croque-baguette au jambon

Préparation : **15 minutes** • Cuisson : **3 minutes** • Quantité : **4 portions (8 croque-baguettes)**

Préparation

Couper les pains en deux sur l'épaisseur. Déposer les pains sur une plaque de cuisson tapissée d'une feuille de papier d'aluminium.

Dans un bol, mélanger la crème fraîche avec la moutarde et la ciboulette.

Tartiner chaque demi-pain avec la préparation à la moutarde. Garnir de jambon et de gruyère. Si désiré, parsemer de piment d'Espelette.

Faire gratiner au four à la position « gril » (*broil*) de 3 à 4 minutes.

PAR PORTION	
Calories	442
Protéines	25 g
Matières grasses	34 g
Glucides	14 g
Fibres	1 g
Fer	1 mg
Calcium	506 mg
Sodium	979 mg

Idée pour accompagner

Salade de roquette, tomates et amandes

Dans un saladier, fouetter 60 ml (¼ de tasse) d'huile d'olive avec 15 ml (1 c. à soupe) de vinaigre balsamique, 30 ml (2 c. à soupe) de ciboulette hachée et 60 ml (¼ de tasse) d'amandes en bâtonnets. Ajouter 16 tomates cerises de couleurs variées coupées en deux et 500 ml (2 tasses) de roquette. Saler, poivrer et remuer.

Moins de sodium

Votre apport en sodium est trop élevé? Pas de panique! La préparation de repas maison et l'ajout d'aromates enivrants vous permettront de contrôler votre consommation de sel et donc de réduire les risques d'hypertension artérielle et de maladies cardiovasculaires. Avec nos recettes renfermant peu de sel, il sera facile de diminuer la quantité de sodium ingérée.

Tilapia
450 g (1 lb) de filets ①

Chapelure nature
80 ml (⅓ de tasse) ②

Ciboulette
hachée
30 ml (2 c. à soupe) ③

Gingembre
haché
15 ml (1 c. à soupe) ④

Coriandre ⑤
hachée
15 ml (1 c. à soupe)

PRÉVOIR AUSSI :
➤ **Ail**
haché
10 ml (2 c. à thé)

➤ **1 œuf**
battu

Croquettes de tilapia

Préparation : **15 minutes** • Réfrigération : **10 minutes** • Cuisson : **8 minutes**
Quantité : **4 portions (4 grosses croquettes ou 8 moyennes)**

Préparation

Couper les filets de tilapia en morceaux. Déposer dans le contenant du robot culinaire et hacher quelques secondes.

Ajouter le reste des ingrédients et mélanger 30 secondes, jusqu'à l'obtention d'une préparation grossièrement hachée. Poivrer.

Façonner 4 grosses croquettes en utilisant environ 125 ml (½ tasse) de préparation pour chacune d'elles, ou 8 croquettes moyennes en utilisant environ 60 ml (¼ de tasse) de préparation pour chacune d'elles. Réserver au frais 10 minutes.

Dans une poêle, chauffer un peu d'huile d'olive à feu moyen. Cuire les croquettes de 8 à 10 minutes, en les retournant fréquemment en cours de cuisson.

PAR PORTION	
1 grosse croquette	
Calories	197
Protéines	26 g
Matières grasses	7 g
Glucides	8 g
Fibres	1 g
Fer	1 mg
Calcium	38 mg
Sodium	143 mg

Idée pour accompagner

Frites épicées

Peler et couper 4 pommes de terre en bâtonnets. Dans un grand bol, mélanger 30 ml (2 c. à soupe) d'huile d'olive avec 15 ml (1 c. à soupe) de paprika fumé doux, 15 ml (1 c. à soupe) de sucre d'érable et 15 ml (1 c. à soupe) de flocons d'oignon. Déposer les bâtonnets de pommes de terre dans le bol et remuer pour les enrober d'huile épicée. Déposer les bâtonnets sur une plaque de cuisson tapissée de papier parchemin. Cuire au four de 20 à 25 minutes à 205 °C (400 °F).

**Riz blanc
à grains longs**
160 ml (⅔ de tasse)

①

Abricots séchés
émincés
60 ml (¼ de tasse)

②

½ brocoli
coupé en petits
bouquets

③

Poulet
340 g (¾ de lb) de
poitrines sans peau
coupées en lanières

④

Amandes émincées
60 ml (¼ de tasse)

⑤

PRÉVOIR AUSSI :
➤ **Bouillon de poulet**
réduit en sodium
330 ml (1 ⅓ tasse)
➤ **Cannelle**
2,5 ml (½ c. à thé)

FACULTATIF :
➤ **Gingembre**
haché
15 ml (1 c. à soupe)

Riz au poulet, abricots et amandes

Préparation : **15 minutes** • Cuisson : **20 minutes** • Quantité : **4 portions**

Préparation

Dans une casserole, déposer le riz, les abricots séchés
et le bouillon. Poivrer et porter à ébullition. Couvrir
et laisser mijoter 15 minutes à feu doux.

Ajouter le brocoli. Couvrir et prolonger la cuisson
de 5 minutes.

Dans une poêle, chauffer un peu d'huile d'olive à feu
moyen. Déposer les lanières de poulet. Saupoudrer
de cannelle et, si désiré, de gingembre. Cuire de 4 à
5 minutes, en retournant les lanières de temps en temps,
jusqu'à ce que l'intérieur de la chair du poulet ait perdu
sa teinte rosée.

Ajouter les amandes et faire dorer légèrement 1 minute.

Au moment de servir, répartir le riz dans les assiettes.
Garnir de la préparation au poulet.

PAR PORTION	
Calories	317
Protéines	25 g
Matières grasses	8 g
Glucides	35 g
Fibres	3 g
Fer	1 mg
Calcium	58 mg
Sodium	82 mg

Idée pour accompagner

Julienne de betteraves croquantes

Dans un saladier, mélanger 60 ml (¼ de tasse)
d'huile d'olive avec 15 ml (1 c. à soupe) de jus
de citron, 15 ml (1 c. à soupe) de zestes de
citron, 30 ml (2 c. à soupe) de ciboulette
hachée, 30 ml (2 c. à soupe) de persil
haché et 15 ml (1 c. à soupe) de gingembre
haché. Peler et couper de 4 à 5 betteraves en fine
julienne. Ajouter dans le saladier et remuer. Poivrer.

3 poires
pelées ①

Jus de pomme ②
125 ml (½ tasse)

Vinaigre de cidre ③
30 ml (2 c. à soupe)

Moutarde à l'ancienne ④
15 ml (1 c. à soupe)

Porc ⑤
675 g (environ 1 ½ lb)
de filet

Médaillons de porc au chutney de poires

Préparation : **15 minutes** • Cuisson : **14 minutes** • Quantité : **4 portions**

Préparation

Couper en dés les poires et l'oignon rouge.

Déposer les poires et l'oignon rouge dans une casserole avec le jus de pomme, le vinaigre, la moutarde, le sirop d'érable et, si désiré, la sauge. Cuire de 10 à 12 minutes à feu doux, jusqu'à l'obtention d'une préparation sirupeuse.

Parer le filet de porc en retirant la membrane blanche. Couper le filet de manière à obtenir douze médaillons de 2,5 cm (1 po) d'épaisseur.

Dans une poêle, chauffer un peu d'huile d'olive à feu moyen. Cuire les médaillons de porc de 2 à 3 minutes de chaque côté.

Servir avec le chutney de poires.

PAR PORTION	
Calories	330
Protéines	38 g
Matières grasses	6 g
Glucides	29 g
Fibres	4 g
Fer	2 mg
Calcium	44 mg
Sodium	146 mg

Idée pour accompagner

Purée de pommes de terre rouges au thym

Laver et couper en cubes de 4 à 6 pommes de terre rouges. Déposer dans une casserole d'eau froide. Porter à ébullition, puis cuire jusqu'à tendreté. Égoutter et réduire en purée avec 60 ml (¼ de tasse) de lait chaud, 30 ml (2 c. à soupe) de beurre non salé, 5 ml (1 c. à thé) de thym haché et 5 ml (1 c. à thé) de fleur d'ail dans l'huile. Poivrer.

PRÉVOIR AUSSI :
➤ **½ oignon rouge**
➤ **Sirop d'érable**
15 ml (1 c. à soupe)

FACULTATIF :
➤ **Sauge**
hachée
15 ml (1 c. à soupe)

**Pesto aux tomates
séchées**
15 ml (1 c. à soupe)

①

Citron
15 ml (1 c. à soupe)
de zestes

②

Origan
haché
15 ml (1 c. à soupe)

③

Bœuf
675 g (environ 1 ½ lb)
de cubes à brochettes

④

Poivrons
1 orange et 1 vert

⑤

PRÉVOIR AUSSI :
➤ **Huile d'olive**
30 ml (2 c. à soupe)
➤ **1 oignon rouge**

FACULTATIF :
➤ **Thym**
haché
15 ml (1 c. à soupe)

Brochettes de bœuf à l'italienne

Préparation : **15 minutes** • Marinage : **15 minutes** • Cuisson : **5 minutes** • Quantité : **4 portions (8 brochettes)**

Préparation

Dans un sac hermétique, mélanger le pesto aux tomates séchées avec les zestes de citron, l'origan, l'huile d'olive et, si désiré, le thym haché.

Ajouter les cubes de bœuf dans le sac, puis secouer pour bien les enrober de marinade. Laisser mariner de 15 minutes à 3 heures au frais.

Au moment de la cuisson, préchauffer le barbecue à puissance moyenne-élevée ou le four à 220 °C (425 °F).

Tailler les poivrons et l'oignon rouge en cubes de la même taille que les cubes de bœuf.

Égoutter les cubes de bœuf et jeter la marinade. Assembler huit brochettes en faisant alterner les cubes de bœuf, de poivron orange, de poivron vert et d'oignon rouge.

Pour la cuisson au barbecue : sur la grille chaude et huilée, cuire les brochettes de 4 à 5 minutes pour une cuisson saignante, en retournant les brochettes à quelques reprises.

Pour la cuisson au four : déposer les brochettes sur une plaque de cuisson tapissée de papier d'aluminium et cuire de 5 à 6 minutes pour une cuisson saignante, en retournant les brochettes à mi-cuisson.

PAR PORTION	
2 brochettes	
Calories	386
Protéines	38 g
Matières grasses	21 g
Glucides	11 g
Fibres	3 g
Fer	5 mg
Calcium	52 mg
Sodium	139 mg

Idée pour accompagner

Salade de tomates

Dans un saladier, mélanger 30 ml (2 c. à soupe) de pesto aux tomates séchées avec 60 ml (¼ de tasse) d'huile d'olive, 15 ml (1 c. à soupe) de vinaigre balsamique, 30 ml (2 c. à soupe) de basilic haché et 60 ml (¼ de tasse) de feuilles de persil. Poivrer. Dans le saladier, ajouter 4 tomates coupées en quartiers, 10 tomates cerises jaunes coupées en deux et ¼ d'oignon rouge émincé. Remuer.

Porc haché maigre ❶
500 g (environ 1 lb)

Chapelure nature ❷
60 ml (¼ de tasse)

Poivre de la Jamaïque (quatre-épices) ❸
moulu
1,25 ml (¼ de c. à thé)

Bouillon de poulet ❹
réduit en sodium
500 ml (2 tasses)

Crème à cuisson 35 % ❺
80 ml (⅓ de tasse)

PRÉVOIR AUSSI :
➤ 1 **œuf**
battu
➤ **Farine**
45 ml (3 c. à soupe)

FACULTATIF :
➤ 8 à 10
champignons
émincés

Boulettes suédoises

Préparation : **15 minutes** • Cuisson : **10 minutes** • Quantité : **4 portions**

Préparation

Dans un bol, mélanger le porc avec la chapelure, le poivre de la Jamaïque et l'œuf. Poivrer.

Façonner de 18 à 20 boulettes en utilisant environ 30 ml (2 c. à soupe) de préparation pour chacune d'elles.

Dans une casserole, chauffer un peu d'huile de canola à feu moyen. Faire dorer les boulettes de 4 à 5 minutes, en procédant par petites quantités. Réserver dans une assiette.

Dans la même casserole, cuire la farine de 1 à 2 minutes en remuant.

Verser le bouillon de poulet et la crème. Porter à ébullition en raclant le fond de la casserole à l'aide d'une cuillère en bois afin de détacher les sucs de cuisson.

Ajouter les boulettes et, si désiré, les champignons dans la casserole. Cuire de 5 à 6 minutes à feu doux-moyen, jusqu'à ce que l'intérieur des boulettes ait perdu sa teinte rosée.

PAR PORTION	
Calories	450
Protéines	30 g
Matières grasses	30 g
Glucides	13 g
Fibres	1 g
Fer	3 mg
Calcium	33 mg
Sodium	190 mg

Idée pour accompagner

Nouilles aux fines herbes

Dans une casserole d'eau bouillante, cuire 200 g (environ ½ lb) de nouilles aux œufs *al dente*. Égoutter. Dans un grand bol, mélanger les nouilles avec 30 ml (2 c. à soupe) d'huile d'olive, 15 ml (1 c. à soupe) de persil haché, 5 ml (1 c. à thé) d'estragon haché et 5 ml (1 c. à thé) de thym haché. Poivrer.

Cari
5 ml (1 c. à thé) **1**

1 petite aubergine **2**
taillée en gros cubes

1 poivron rouge **3**
taillé en cubes

Grosses crevettes **4**
(calibre 26/30)
crues et décortiquées
375 g (environ ¾ de lb)

Lait de coco léger **5**
180 ml (¾ de tasse)

PRÉVOIR AUSSI :

➤ **2 échalotes sèches**
(françaises)
hachées

➤ **Bouillon de poulet**
réduit en sodium
250 ml (1 tasse)

FACULTATIF :

➤ **Cumin**
2,5 ml (½ c. à thé)

➤ **Coriandre** au goût

Cari de crevettes à l'indienne

Préparation : **15 minutes** • Cuisson : **20 minutes** • Quantité : **4 portions**

Préparation

Dans une grande poêle ou dans un wok, chauffer un peu d'huile d'olive à feu moyen. Cuire le cari, l'aubergine, le poivron, les échalotes et, si désiré, le cumin 10 minutes en remuant à quelques reprises, jusqu'à ce que les légumes soient tendres.

Ajouter les crevettes et le bouillon de poulet. Porter à ébullition, puis cuire de 7 à 8 minutes.

Poivrer, puis incorporer le lait de coco. Réchauffer 1 minute.

Si désiré, garnir de coriandre au moment de servir.

PAR PORTION	
Calories	215
Protéines	22 g
Matières grasses	8 g
Glucides	13 g
Fibres	5 g
Fer	3 mg
Calcium	72 mg
Sodium	171 mg

Idée pour accompagner

Couscous au gingembre et ananas

Dans un bol, mélanger 250 ml (1 tasse) de couscous avec 15 ml (1 c. à soupe) d'huile d'olive, 2 oignons verts émincés, 15 ml (1 c. à soupe) de gingembre haché, 10 ml (2 c. à thé) d'ail haché, 60 ml (¼ de tasse) de poivrons rouges rôtis coupés en dés et ¼ d'ananas coupé en dés. Verser 250 ml (1 tasse) d'eau bouillante. Poivrer. Couvrir et laisser gonfler de 5 à 6 minutes. Égrainer le couscous à l'aide d'une fourchette. Ajouter 30 ml (2 c. à soupe) d'aneth haché. Remuer.

Veau ①
600 g (environ 1 ⅓ lb)
de filets

Beurre ②
non salé
30 ml (2 c. à soupe)

Câpres ③
30 ml (2 c. à soupe)

Citron ④
15 ml (1 c. à soupe)
de zestes + 30 ml
(2 c. à soupe) de jus

Basilic ⑤
émincé
45 ml (3 c. à soupe)

Médaillons de veau minute, beurre aux câpres

Préparation : **15 minutes** • Cuisson : **5 minutes** • Quantité : **4 portions**

Préparation

Parer les filets de veau en retirant la membrane blanche. Couper les filets de manière à obtenir douze médaillons de 2,5 cm (1 po) d'épaisseur. Poivrer.

Dans une poêle, chauffer un peu d'huile d'olive à feu moyen-élevé. Cuire les médaillons de veau 2 minutes de chaque côté pour une cuisson saignante. Déposer les médaillons dans une assiette et couvrir d'une feuille de papier d'aluminium, sans serrer.

Dans la même poêle, chauffer à feu moyen le beurre, les câpres, les zestes et le jus de citron de 1 à 2 minutes en remuant.

Napper les médaillons de beurre aux câpres. Parsemer de basilic.

PAR PORTION	
3 médaillons	
Calories	230
Protéines	21 g
Matières grasses	15 g
Glucides	1 g
Fibres	0 g
Fer	1 mg
Calcium	21 mg
Sodium	213 mg

Idée pour accompagner

Purée de chou-fleur à la roquette

Couper 1 chou-fleur en gros bouquets. Peler 2 grosses pommes de terre, puis les couper en cubes. Déposer le chou-fleur et les pommes de terre dans une casserole d'eau froide. Porter à ébullition, puis cuire de 15 à 20 minutes. Égoutter. Réduire en purée avec 60 ml (¼ de tasse) de lait chaud, 5 ml (1 c. à thé) de cari et 30 ml (2 c. à soupe) de beurre non salé. Incorporer 250 ml (1 tasse) de roquette émincée et 60 ml (¼ de tasse) de noix de pin grillées. Poivrer et remuer.

Farfalles ❶
350 g (environ ¾ de lb)

Truite ❷
300 g (⅔ de lb) de filet

Assaisonnements pour saumon ❸
15 ml (1 c. à soupe)

Mélange laitier pour cuisson 5 % ❹
500 ml (2 tasses)

Roquette ❺
500 ml (2 tasses)

PRÉVOIR AUSSI :
➤ **4 échalotes sèches** (françaises) pelées et coupées en quatre

FACULTATIF :
➤ **Ciboulette** hachée 30 ml (2 c. à soupe)

Farfalles à la truite et roquette
Préparation : **15 minutes** • Cuisson : **10 minutes** • Quantité : **4 portions**

Préparation

Dans une casserole d'eau bouillante, cuire les pâtes *al dente*. Égoutter.

Pendant la cuisson des pâtes, saupoudrer le filet de truite d'assaisonnements pour saumon. Déposer le filet et les échalotes sur une plaque de cuisson tapissée de papier d'aluminium.

Cuire au four de 6 à 8 minutes à la position « gril » (*broil*), en retournant le filet de truite à mi-cuisson.

Dans la casserole ayant servi à la cuisson des pâtes, porter à ébullition le mélange laitier. Ajouter les pâtes et, si désiré, la ciboulette. Réchauffer de 1 à 2 minutes en remuant.

Défaire la truite en morceaux et ajouter dans la casserole avec la roquette. Remuer.

PAR PORTION	
Calories	559
Protéines	31 g
Matières grasses	15 g
Glucides	76 g
Fibres	3 g
Fer	4 mg
Calcium	82 mg
Sodium	198 mg

Idée pour accompagner

Tian de tomates aux herbes de Provence

Couper 4 tomates rouges, 4 tomates jaunes et 1 oignon rouge en rondelles. Dans quatre ramequins, intercaler les tranches de tomates et d'oignon rouge. Parsemer de 10 ml (2 c. à thé) de thym haché et de 5 ml (1 c. à thé) de romarin haché. Poivrer. Arroser d'un filet d'huile d'olive. Cuire au four de 25 à 30 minutes à 205 °C (400 °F).

Vinaigrette lime et coriandre
du commerce
80 ml (⅓ de tasse) ①

Poulet ②
350 g (environ ¾ de lb)
de poitrines sans peau

1 laitue romaine ③
déchiquetée

1 poivron rouge ④
émincé

**Mélange de légumes
pour salade de chou** ⑤
250 ml (1 tasse)

FACULTATIF :
➤ **Fèves germées**
250 ml (1 tasse)
➤ **Coriandre**
hachée
60 ml (¼ de tasse)

Salade au poulet

Préparation : **15 minutes** • Marinage : **15 minutes** • Cuisson : **12 minutes** • Quantité : **4 portions**

Préparation

Verser la moitié de la vinaigrette dans un sac hermétique et ajouter les poitrines de poulet. Laisser mariner de 15 minutes à 3 heures au frais. Réserver le reste de la vinaigrette au frais.

Au moment de la cuisson, égoutter le poulet et jeter la marinade contenue dans le sac.

Dans une poêle, chauffer un peu d'huile d'olive à feu moyen. Cuire les poitrines de 6 à 7 minutes de chaque côté, jusqu'à ce que l'intérieur de la chair du poulet ait perdu sa teinte rosée. Déposer les poitrines sur une planche à découper. Laisser tiédir.

Dans un saladier, verser la vinaigrette réservée. Ajouter la laitue romaine, le poivron, le mélange de légumes pour salade de chou et, si désiré, les fèves germées et la coriandre. Remuer. Répartir la salade dans les assiettes.

Émincer les poitrines de poulet et en garnir chaque portion.

PAR PORTION	
Calories	231
Protéines	23 g
Matières grasses	10 g
Glucides	11 g
Fibres	2 g
Fer	2 mg
Calcium	39 mg
Sodium	201 mg

Version maison

Vinaigrette thaï miel et sésame

Mélanger 60 ml (¼ de tasse) de jus de lime avec 30 ml (2 c. à soupe) de miel, 30 ml (2 c. à soupe) d'huile d'olive, 15 ml (1 c. à soupe) de coriandre hachée, 15 ml (1 c. à soupe) de graines de sésame, 10 ml (2 c. à thé) d'ail haché, 1 oignon vert émincé et 1 piment thaï haché finement.

Ail ❶
1 gousse
hachée finement

Vin rouge ❷
125 ml (½ tasse)

1 échalote sèche ❸
(française)
hachée finement

Moutarde de Dijon ❹
15 ml (1 c. à soupe)

Bœuf ❺
4 bavettes d'environ
150 g (⅓ de lb) chacune

PRÉVOIR AUSSI:
➤ **Huile d'olive**
30 ml (2 c. à soupe)

FACULTATIF:
➤ **Persil**
quelques tiges
hachées

Bavette de bœuf marinée au vin rouge et à l'échalote

Préparation : **15 minutes** • Marinage : **30 minutes** • Cuisson : **4 minutes** • Quantité : **4 portions**

Préparation

Dans un sac hermétique, mélanger l'ail avec le vin rouge, l'échalote, la moutarde de Dijon et l'huile d'olive. Ajouter les bavettes dans le sac. Refermer le sac et secouer pour enrober la viande de marinade. Laisser mariner au réfrigérateur de 30 minutes à 2 heures.

Au moment de la cuisson, préchauffer le barbecue à puissance moyenne-élevée ou le four à 230°C (450°F).

Égoutter les bavettes et jeter la marinade.

Pour la cuisson au barbecue: sur la grille chaude et huilée, déposer les bavettes. Fermer le couvercle et cuire de 2 à 3 minutes de chaque côté pour une cuisson rosée.

Pour la cuisson au four: dans une poêle allant au four, faire fondre un peu de beurre non salé à feu moyen. Saisir les bavettes de 1 à 2 minutes de chaque côté, puis poursuivre la cuisson au four de 8 à 10 minutes.

Déposer les bavettes sur une planche à découper, puis couvrir d'une feuille de papier d'aluminium, sans serrer. Laisser reposer 5 minutes, puis trancher les bavettes dans le sens contraire des fibres. Poivrer.

Si désiré, parsemer de persil au moment de servir.

PAR PORTION	
Calories	344
Protéines	33 g
Matières grasses	19 g
Glucides	2 g
Fibres	0 g
Fer	3 mg
Calcium	15 mg
Sodium	195 mg

Idée pour accompagner

Légumes grillés

Dans un bol, mélanger 45 ml (3 c. à soupe) d'huile d'olive avec 15 ml (1 c. à soupe) de zestes de citron, 1 feuille de laurier et 1 tige de thym. Poivrer. Ajouter 2 pommes de terre coupées en tranches, 1 poivron rouge émincé, 8 carottes nantaises coupées sur la longueur et 2 courgettes coupées sur la longueur. Remuer. Répartir dans un plateau d'aluminium pour le barbecue ou sur une plaque de cuisson. Cuire sur la grille du barbecue de 18 à 20 minutes à puissance moyenne-élevée ou au four de 18 à 20 minutes à 205°C (400°F).

Tofu ferme ①
1 bloc de 454 g

Huile de sésame grillé ②
5 ml (1 c. à thé)

Quinoa ③
rincé et égoutté
250 ml (1 tasse)

1 poivron rouge ④
coupé en dés

Edamames ⑤
cuits
250 ml (1 tasse)

PRÉVOIR AUSSI :
➤ **Sirop d'érable**
125 ml (½ tasse)
➤ **Lime**
30 ml (2 c. à soupe)
de jus

FACULTATIF :
➤ **Sambal oelek**
2,5 ml (½ c. à thé)
➤ **2 oignons verts**
hachés

Salade de quinoa et tofu grillé à l'érable

Préparation : **15 minutes** • Marinage : **30 minutes** • Cuisson : **17 minutes** • Quantité : **4 portions**

Préparation

Éponger le tofu et le couper en tranches de 2 cm (¾ de po) d'épaisseur.

Dans un bol, mélanger l'huile de sésame avec le sirop d'érable et, si désiré, le sambal oelek. Transférer la moitié du mélange dans un autre bol et réserver.

Déposer les tranches de tofu dans le premier bol. Couvrir et laisser mariner de 30 minutes à 5 heures au frais.

Dans une casserole, porter à ébullition le quinoa avec 500 ml (2 tasses) d'eau. Couvrir et cuire de 15 à 20 minutes à feu doux, jusqu'à ce que l'eau soit absorbée. Transférer dans un saladier.

Pour la cuisson au barbecue : sur la grille chaude et huilée, faire griller les tranches de tofu de 1 à 2 minutes de chaque côté à puissance élevée.

Pour la cuisson à la poêle : dans une poêle, chauffer un peu d'huile d'olive à feu moyen. Faire revenir les tranches de tofu de 1 à 2 minutes de chaque côté.

Couper les tranches de tofu en dés.

Ajouter le poivron, les edamames, les dés de tofu et, si désiré, les oignons verts dans le saladier contenant le quinoa. Incorporer le jus de lime et le mélange au sirop d'érable réservé. Servir la salade tiède ou froide.

PAR PORTION	
Calories	452
Protéines	25 g
Matières grasses	12 g
Glucides	69 g
Fibres	7 g
Fer	10 mg
Calcium	404 mg
Sodium	26 mg

Idée pour accompagner

Tomates grillées avec chapelure panko

Couper 4 tomates italiennes en deux sur la longueur. Déposer sur du papier absorbant, côté coupé dessous, pour retirer l'excédent de jus. Dans un bol, mélanger 125 ml (½ tasse) de chapelure panko avec 15 ml (1 c. à soupe) de persil haché, 15 ml (1 c. à soupe) de coriandre hachée, 1 gousse d'ail hachée et 30 ml (2 c. à soupe) d'huile d'olive. Poivrer. Déposer les demi-tomates dans un plateau d'aluminium, côté coupé sur le dessus. Couvrir les demi-tomates du mélange de chapelure. Cuire sur le barbecue de 15 à 20 minutes à puissance moyenne-élevée, couvercle fermé, ou au four de 18 à 20 minutes à 205 °C (400 °F).

Mélange de légumes surgelés pour mijoteuse
décongelés
500 ml (2 tasses)

1

3 tomates
coupées en dés

2

Jus de tomate 50 % moins de sel
250 ml (1 tasse)

3

Coriandre
hachée
30 ml (2 c. à soupe)

4

Tilapia
4 filets de 150 g
(⅓ de lb) chacun
coupés en trois
morceaux chacun

5

PRÉVOIR AUSSI :
➤ **Gingembre**
haché
15 ml (1 c. à soupe)

➤ **Ail**
haché
15 ml (1 c. à soupe)

FACULTATIF :
➤ **Curcuma**
5 ml (1 c. à thé)

➤ **Citron**
30 ml (2 c. à soupe)
de zestes

Casserole de tilapia aux légumes

Préparation : **15 minutes** • Cuisson : **15 minutes** • Quantité : **4 portions**

Préparation

Dans une casserole, chauffer un peu d'huile d'olive avec, si désiré, le curcuma à feu moyen.

Saisir le gingembre et l'ail 1 minute.

Ajouter le mélange de légumes, les tomates, le jus de tomate et, si désiré, les zestes de citron. Porter à ébullition. Couvrir et laisser mijoter de 8 à 10 minutes à feu doux-moyen.

Ajouter la coriandre et les filets de tilapia. Couvrir et cuire de 5 à 6 minutes.

PAR PORTION	
Calories	218
Protéines	27 g
Matières grasses	6 g
Glucides	17 g
Fibres	6 g
Fer	2 mg
Calcium	61 mg
Sodium	146 mg

Idée pour accompagner

Couscous aux amandes

Dans un bol, mélanger 250 ml (1 tasse) de couscous avec 5 ml (1 c. à thé) de harissa, 80 ml (⅓ de tasse) d'amandes tranchées et 30 ml (2 c. à soupe) de ciboulette hachée. Verser 250 ml (1 tasse) de bouillon de poulet réduit en sodium bouillant. Couvrir et laisser gonfler 5 minutes. Égrainer le couscous avec une fourchette.

Veau
720 g (environ 1 ⅔ lb)
de longe

1

Échalotes sèches
(françaises)
hachées
30 ml (2 c. à soupe)

2

Vin blanc
250 ml (1 tasse)

3

Fond de veau
375 ml (1 ½ tasse)

4

Jus d'orange
125 ml (½ tasse)

5

PRÉVOIR AUSSI :
➤ **Farine**
30 ml (2 c. à soupe)

FACULTATIF :
➤ **Citron**
30 ml (2 c. à soupe)
de jus

Veau mijoté aux agrumes

Préparation : **15 minutes** • Cuisson : **15 minutes** • Quantité : **4 portions**

Préparation

Parer la longe de veau en retirant la membrane blanche. Couper la longe de manière à obtenir de huit à douze tranches.

Dans un bol, déposer la farine. Fariner les tranches de veau et secouer pour retirer l'excédent. Poivrer.

Dans une poêle, chauffer un peu d'huile de canola à feu moyen. Faire dorer les tranches de veau 2 minutes de chaque côté, en prenant soin de conserver la viande légèrement rosée. Transférer dans une assiette.

Retirer le surplus d'huile de la poêle et y faire revenir les échalotes. Verser le vin blanc et laisser mijoter à feu moyen, jusqu'à ce que la préparation ait réduit des trois quarts.

Incorporer le fond de veau, le jus d'orange et, si désiré, le jus de citron. Laisser mijoter à feu moyen jusqu'à ce que le liquide ait réduit de moitié.

Remettre la viande dans la poêle et réchauffer de 1 à 2 minutes.

PAR PORTION	
Calories	232
Protéines	47 g
Matières grasses	6 g
Glucides	9 g
Fibres	0 g
Fer	3 mg
Calcium	46 mg
Sodium	214 mg

Idée pour accompagner

Orge perlé aux tomates séchées et épinards

Cuire 250 ml (1 tasse) d'orge perlé selon les indications de l'emballage. Dans une poêle, chauffer 30 ml (2 c. à soupe) d'huile d'olive à feu moyen. Cuire 1 oignon haché et 1 piment thaï émincé de 1 à 2 minutes. Ajouter l'orge perlé, 500 ml (2 tasses) de bébés épinards et 80 ml (⅓ de tasse) de tomates séchées émincées. Poivrer, puis cuire de 1 à 2 minutes.

Poulet
450 g (1 lb)
de poitrines sans
peau émincées ①

Pâte de cari jaune ②
15 ml (1 c. à soupe)

½ brocoli ③
coupé en petits
bouquets

Lait de coco léger ④
1 boîte de 400 ml

Chou nappa ⑤
émincé
250 ml (1 tasse)

PRÉVOIR AUSSI :
➤ 1 **oignon**
émincé

FACULTATIF :
➤ **Gingembre**
haché
15 ml (1 c. à soupe)

➤ 1 **carotte**
coupée en julienne

Poulet et chou nappa à la thaï

Préparation : **15 minutes** • Cuisson : **5 minutes** • Quantité : **4 portions**

Préparation

Dans une poêle ou dans un wok, chauffer un peu d'huile de sésame (non grillé) ou de canola à feu moyen-élevé. Saisir le poulet de 3 à 5 minutes, jusqu'à ce que l'intérieur de la chair ait perdu sa teinte rosée. Transférer dans une assiette.

Dans la même poêle, saisir l'oignon et, si désiré, le gingembre 1 minute.

Ajouter la pâte de cari, le brocoli, le lait de coco et, si désiré, la carotte. Porter à ébullition.

Ajouter le poulet et le chou nappa. Cuire 1 minute. Servir aussitôt.

PAR PORTION	
Calories	336
Protéines	27 g
Matières grasses	20 g
Glucides	12 g
Fibres	2 g
Fer	2 mg
Calcium	59 mg
Sodium	132 mg

Idée pour accompagner

Nouilles udon

Dans une casserole d'eau bouillante, cuire 250 g (environ ½ lb) de nouilles udon selon les indications de l'emballage. Égoutter. Dans une poêle, chauffer 30 ml (2 c. à soupe) d'huile de sésame (non grillé) à feu moyen. Ajouter 500 ml (2 tasses) d'épinards parés et émincés et 1 oignon émincé. Cuire de 1 à 2 minutes. Ajouter 60 ml (¼ de tasse) de mirin et les nouilles. Poivrer. Réchauffer 2 minutes en remuant.

Recette de Ève Godin, nutritionniste

Plus d'oméga-3 et 6

Saviez-vous que pour maintenir une bonne santé cardiovasculaire, un adulte devrait consommer entre 1,1 et 1,6 g d'oméga-3 ainsi qu'entre 11 et 17 g d'oméga-6 chaque jour? Si vous êtes à court d'idées pour vous approvisionner en ces gras polyinsaturés, pigez dans les pages qui suivent et découvrez des recettes bourrées de bienfaits!

2 petits ciabattas aux olives ①

Pesto ②
30 ml (2 c. à soupe)

Thon ③
égoutté
2 boîtes de 170 g
chacune

Noix de pin ④
60 ml (¼ de tasse)

Fromage suisse ⑤
râpé
250 ml (1 tasse)

PRÉVOIR AUSSI :
➤ ¼ d'**oignon rouge**
haché

FACULTATIF :
➤ **Basilic**
haché
45 ml (3 c. à soupe)

Tartine de pain au thon et noix de pin

Préparation : **15 minutes** • Cuisson : **4 minutes** • Quantité : **4 portions**

Préparation

Trancher chaque ciabatta sur l'épaisseur, puis couper chacun des morceaux en deux. Déposer les tranches sur une plaque de cuisson.

Badigeonner les tranches de pain avec la moitié du pesto. Chauffer au four de 2 à 3 minutes à la position « gril » (*broil*), jusqu'à ce que le pain soit doré.

Dans un bol, mélanger le thon avec les noix de pin, l'oignon rouge, le reste du pesto et, si désiré, le basilic. Saler et poivrer. Répartir la préparation au thon sur les tranches de pain grillées.

Couvrir de fromage suisse et faire griller au four de 2 à 3 minutes à la position « gril » (*broil*).

PAR PORTION	
Calories	410
Protéines	32 g
Matières grasses	20 g
Oméga-3	1,1 g
Oméga-6	3,4 g
Glucides	25 g
Fibres	1 g
Fer	3 mg
Calcium	250 mg
Sodium	345 mg

Idée pour accompagner

Salade méditerranéenne

Dans un saladier, fouetter 10 ml (2 c. à thé) de moutarde de Dijon avec 10 ml (2 c. à thé) de miel, 15 ml (1 c. à soupe) de vinaigre de vin rouge, 45 ml (3 c. à soupe) d'huile d'olive et 5 ml (1 c. à thé) d'origan haché. Ajouter 2 tomates coupées en quartiers, 1 concombre coupé en demi-rondelles et ¼ d'oignon rouge émincé. Saler, poivrer et remuer.

Yogourt nature 0 % ①
125 ml (½ tasse)

Poulet ②
340 g (¾ de lb) de
poitrines sans peau

Laitue romaine ③
3 cœurs déchiquetés

Pois chiches ④
rincés et égouttés
160 ml (⅔ de tasse)

Noix de Grenoble ⑤
60 ml (¼ de tasse)

PRÉVOIR AUSSI :
➤ **Sirop d'érable**
60 ml (¼ de tasse)

➤ **Vinaigre
balsamique**
20 ml (4 c. à thé)

FACULTATIF :
➤ **1 pomme verte**
non pelée tranchée

➤ **Ciboulette**
hachée
15 ml (1 c. à soupe)

Salade de cœurs de romaine, poulet et noix

Préparation : **15 minutes** • Marinage : **30 minutes** • Cuisson : **16 minutes** • Quantité : **4 portions**

Préparation

Dans un petit bol, mélanger le yogourt avec le sirop d'érable et le vinaigre balsamique.

Dans un sac hermétique, verser la moitié de la marinade-vinaigrette et ajouter les poitrines de poulet. Secouer pour bien enrober les poitrines de marinade. Sceller et laisser mariner au frais 30 minutes. Réserver le reste de la marinade-vinaigrette au frais.

Au moment de la cuisson, égoutter le poulet et jeter la marinade.

Pour la cuisson au barbecue : préchauffer le barbecue à puissance moyenne. Sur la grille chaude et huilée, cuire les poitrines 8 minutes de chaque côté, jusqu'à ce que l'intérieur de la chair du poulet ait perdu sa teinte rosée.

Pour la cuisson à la poêle : chauffer un peu d'huile d'olive à feu moyen. Cuire les poitrines 8 minutes de chaque côté, jusqu'à ce que l'intérieur de la chair du poulet ait perdu sa teinte rosée.

Déposer les poitrines sur une planche à découper et couvrir d'une feuille de papier d'aluminium, sans serrer. Laisser tiédir 5 minutes.

Dans un saladier, mélanger la laitue avec les pois chiches, les noix de Grenoble et, si désiré, les tranches de pomme et la ciboulette.

Émincer les poitrines de poulet et les ajouter à la salade. Verser la vinaigrette réservée. Remuer.

Option santé

Cette salade gourmande est aussi intéressante sur le plan nutritif que gustatif ! Non seulement elle est peu calorique, mais son faible apport en matières grasses et en sodium est gage d'un repas santé. En prime, elle permet de faire le plein de protéines et de fibres !

PAR PORTION	
Calories	291
Protéines	26 g
Matières grasses	7 g
Oméga-3	1 g
Oméga-6	3 g
Glucides	31 g
Fibres	4 g
Fer	2 mg
Calcium	135 mg
Sodium	80 mg

Amandes ❶
30 ml (2 c. à soupe)

Pistaches ❷
30 ml (2 c. à soupe)

Noix de Grenoble ❸
30 ml (2 c. à soupe)

Curcuma ❹
5 ml (1 c. à thé)

Saumon ❺
4 filets de 180 g
(environ ⅓ de lb)
chacun

PRÉVOIR AUSSI :
➤ **Cassonade**
15 ml (1 c. à soupe)
➤ **Huile d'olive**
30 ml (2 c. à soupe)

FACULTATIF :
➤ **Piment de Cayenne**
au goût

Saumon en croûte de noix et d'épices

Préparation : **15 minutes** • Cuisson : **10 minutes** • Quantité : **4 portions**

Préparation

Préchauffer le four à 180 °C (350 °F).

Déposer les amandes, les pistaches et les noix de Grenoble dans un sac hermétique. À l'aide d'un rouleau à pâte, écraser les noix grossièrement.

Ajouter le curcuma, la cassonade, l'huile et, si désiré, le piment de Cayenne. Saler. Secouer le sac pour mélanger les ingrédients.

Placer les filets de saumon sur une plaque de cuisson tapissée d'une feuille de papier parchemin. Répartir le mélange de noix sur les filets.

Cuire au four de 10 à 15 minutes.

PAR PORTION	
Calories	520
Protéines	40 g
Matières grasses	38 g
Oméga-3	5 g
Oméga-6	5 g
Glucides	1 g
Fibres	1 g
Fer	1 mg
Calcium	39 mg
Sodium	108 mg

Idée pour accompagner

Asperges grillées citron et miel

Dans un bol, mélanger 30 ml (2 c. à soupe) d'huile d'olive avec 15 ml (1 c. à soupe) de miel, 15 ml (1 c. à soupe) de jus de citron et 10 ml (2 c. à thé) d'ail haché. Ajouter 20 asperges et remuer. Déposer sur une plaque de cuisson tapissée d'une feuille de papier parchemin. Cuire au four 10 minutes à 205 °C (400 °F).

6 pommes de terre grelots blanches ❶

Haricots verts ❷
coupés en deux
250 g (environ ½ lb)

½ laitue romaine ❸
déchiquetée

Thon ❹
375 g (environ ¾ de lb)
de steaks

Assaisonnements pour poisson ❺
30 ml (2 c. à soupe)

PRÉVOIR AUSSI :
➤ 4 œufs enrichis
en oméga-3

Salade niçoise au thon grillé

Préparation : **15 minutes** • Cuisson : **17 minutes** • Quantité : **4 portions**

Préparation

Déposer les pommes de terre dans une casserole et couvrir d'eau froide. Saler et porter à ébullition. Cuire de 10 à 13 minutes. Ajouter les haricots dans la casserole et poursuivre la cuisson 5 minutes. Égoutter et refroidir sous l'eau froide.

Pendant la cuisson des pommes de terre, déposer les œufs dans une casserole d'eau froide. Porter à ébullition, puis cuire 10 minutes. Rafraîchir sous l'eau froide, puis écaler.

Couper les pommes de terre en deux. Déposer les pommes de terre, les haricots, la laitue et, si désiré, les tomates cerises et les olives dans un saladier.

Saupoudrer les steaks de thon de la moitié des assaisonnements pour poisson et presser pour les faire adhérer à la chair.

Dans une poêle, chauffer un peu d'huile d'olive à feu moyen. Cuire le thon de 1 à 2 minutes de chaque côté. Retirer de la poêle et déposer sur une planche à découper. Émincer les steaks de thon.

Répartir la salade dans les assiettes et garnir chacune des portions d'un œuf coupé en deux et de tranches de thon. Saupoudrer du reste des assaisonnements pour poisson et napper d'un filet d'huile d'olive.

PAR PORTION	
Calories	556
Protéines	43 g
Matières grasses	16 g
Oméga-3	3 g
Oméga-6	1 g
Glucides	63 g
Fibres	20 g
Fer	5 mg
Calcium	169 mg
Sodium	448 mg

Idée pour accompagner

Vinaigrette aux fines herbes

Fouetter 60 ml (¼ de tasse) d'huile d'olive avec 45 ml (3 c. à soupe) d'échalotes sèches (françaises) hachées, 30 ml (2 c. à soupe) de jus de citron, 30 ml (2 c. à soupe) de basilic haché et 30 ml (2 c. à soupe) de persil haché. Saler et poivrer.

FACULTATIF :
➤ 18 à 20 **tomates cerises**
➤ 10 **olives noires**

Poulet ①
4 poitrines sans peau

Vinaigre de riz ②
30 ml (2 c. à soupe)

Gingembre ③
haché
15 ml (1 c. à soupe)

Huile de sésame grillé ④
30 ml (2 c. à soupe)

Graines de sésame ⑤
rôties
15 ml (1 c. à soupe)

PRÉVOIR AUSSI :
➤ **Sirop d'érable**
80 ml (⅓ de tasse)
➤ **Sauce soya**
45 ml (3 c. à soupe)

FACULTATIF :
➤ **Ail**
haché
5 ml (1 c. à thé)

Brochettes de poulet au caramel d'érable et gingembre

Préparation : **15 minutes** • Marinage : **30 minutes** • Cuisson : **10 minutes** • Quantité : **4 portions**

Préparation

Tailler les poitrines de poulet en 12 lanières d'environ 1 cm (½ po) de largeur.

Dans un sac hermétique, mélanger le vinaigre de riz avec le gingembre, la moitié de l'huile de sésame, le sirop d'érable, la sauce soya et, si désiré, l'ail. Ajouter les lanières de poulet et laisser mariner 30 minutes au frais.

Égoutter le poulet en prenant soin de réserver la marinade. Piquer chacune des lanières de poulet sur une brochette en la faisant onduler.

Dans une grande poêle, chauffer le reste de l'huile de sésame à feu moyen-élevé. Cuire les brochettes de 1 à 2 minutes de chaque côté.

Verser la marinade et laisser caraméliser de 8 à 10 minutes à feu doux-moyen, en retournant les brochettes à mi-cuisson.

Parsemer de graines de sésame au moment de servir.

PAR PORTION	
Calories	358
Protéines	42 g
Matières grasses	11 g
Oméga-3	0,1 g
Oméga-6	4 g
Glucides	21 g
Fibres	0 g
Fer	2 mg
Calcium	66 mg
Sodium	793 mg

Idée pour accompagner

Salade d'épinards et julienne de betteraves

Dans un saladier, mélanger 60 ml (¼ de tasse) d'huile d'olive avec 15 ml (1 c. à soupe) de moutarde à l'ancienne et 15 ml (1 c. à soupe) de jus de citron. Saler et poivrer. Ajouter 500 ml (2 tasses) de bébés épinards, 500 ml (2 tasses) de betteraves pelées et coupées en julienne et 2 oignons verts hachés. Remuer.

20 pois mange-tout ①

Chou nappa ②
coupé en morceaux
500 ml (2 tasses)

Bœuf ③
450 g (1 lb) de bifteck
de surlonge émincé

**Sauce sucrée aux
piments chili** ④
du commerce
250 ml (1 tasse)

Graines de sésame ⑤
rôties
30 ml (2 c. à soupe)

PRÉVOIR AUSSI :
➤ **2 carottes**
émincées finement

➤ **Ail**
haché
10 ml (2 c. à thé)

FACULTATIF :
➤ **Gingembre**
haché
15 ml (1 c. à soupe)

Sauté de bœuf à l'asiatique

Préparation : **15 minutes** • Cuisson : **4 minutes** • Quantité : **4 portions**

Préparation

Dans une poêle ou dans un wok, chauffer un peu d'huile de sésame (non grillé) ou d'huile de canola à feu moyen-élevé. Faire sauter les pois mange-tout, le chou nappa et les carottes de 2 à 3 minutes. Transférer dans une assiette et réserver.

Dans la même poêle, saisir le bœuf de 1 à 2 minutes.

Ajouter l'ail et, si désiré, le gingembre. Cuire 30 secondes.

Verser la sauce et ajouter les légumes. Chauffer jusqu'aux premiers frémissements.

Au moment de servir, parsemer de graines de sésame.

PAR PORTION	
Calories	307
Protéines	28 g
Matières grasses	10 g
Oméga-3	0 g
Oméga-6	3 g
Glucides	23 g
Fibres	2 g
Fer	4 mg
Calcium	90 mg
Sodium	481 mg

Version maison

Sauce thaï sucrée

Mélanger 250 ml (1 tasse) de bouillon de bœuf avec 30 ml (2 c. à soupe) de sauce soya, 30 ml (2 c. à soupe) de miel, 15 ml (1 c. à soupe) de vinaigre de riz ou de cidre et 10 ml (2 c. à thé) de fécule de maïs.

1 pamplemousse rose ❶

Saumon ❷
450 g (1 lb) de filet
coupé en petits dés

Lime ❸
15 ml (1 c. à soupe)
de jus

Céleri ❹
1 branche
coupée en dés

Piment d'Espelette ❺
1 pincée

FACULTATIF :
➤ **Aneth**
quelques tiges
hachées

Tartare de saumon et pamplemousse

Préparation : **15 minutes** • Quantité : **4 portions (en plat principal)**

Préparation

Prélever les suprêmes du pamplemousse en coupant
d'abord l'écorce à vif, puis en tranchant de chaque côté
des membranes. Tailler les suprêmes en petits dés.
Déposer dans un bol.

Ajouter les dés de saumon, le jus de lime, le céleri,
le piment d'Espelette et, si désiré, l'aneth. Remuer.

Dresser le tartare dans des verrines ou dans des
assiettes à l'aide d'un emporte-pièce (voir page 90).

PAR PORTION	
Calories	265
Protéines	24 g
Matières grasses	15 g
Oméga-3	3 g
Oméga-6	1,2 g
Glucides	7 g
Fibres	1 g
Fer	0 mg
Calcium	29 mg
Sodium	75 mg

Idée pour accompagner

Salade à l'avocat

Dans un saladier, fouetter 30 ml
(2 c. à soupe) d'huile d'olive avec 30 ml
(2 c. à soupe) de jus de citron. Saler et poivrer. Ajouter 1 petite laitue iceberg grossièrement
déchiquetée, 1 avocat pelé et taillé en tranches fines
et 30 ml (2 c. à soupe) d'amandes émincées. Remuer.

Fusillis aux légumes
250 g (environ ½ lb)

1

Vin blanc
160 ml (⅔ de tasse)

2

Cheddar 18 % M.G.
râpé
300 g (⅔ de lb)

3

Mélange laitier pour cuisson 5 %
250 ml (1 tasse)

4

Noix de Grenoble
grossièrement hachées
45 ml (3 c. à soupe)

5

PRÉVOIR AUSSI :
➤ 2 **oignons**
hachés

Fusillis sauce au fromage et noix de Grenoble

Préparation : **15 minutes** • Cuisson : **10 minutes** • Quantité : **4 portions**

Préparation

Dans une casserole d'eau bouillante salée, cuire les pâtes *al dente*. Égoutter.

Pendant ce temps, verser le vin blanc dans une autre casserole. Ajouter les oignons. Chauffer à feu moyen jusqu'à ce que le liquide ait réduit de moitié.

Incorporer le cheddar et le mélange laitier pour cuisson. Cuire en remuant de 3 à 4 minutes à feu doux.

À l'aide du mélangeur à main, émulsionner la préparation jusqu'à l'obtention d'une texture homogène.

Ajouter les noix et les pâtes à la sauce. Saler, poivrer et remuer.

PAR PORTION	
Calories	585
Protéines	32 g
Matières grasses	22 g
Oméga-3	1 g
Oméga-6	3 g
Glucides	58 g
Fibres	4 g
Fer	3 mg
Calcium	731 mg
Sodium	622 mg

Idée pour accompagner

Salade de roquette, tomates et zestes de citron

Dans un saladier, fouetter 60 ml (¼ de tasse) d'huile d'olive avec 15 ml (1 c. à soupe) de jus de citron et 30 ml (2 c. à soupe) de ciboulette hachée. Ajouter 500 ml (2 tasses) de roquette, 12 tomates cerises coupées en deux et 15 ml (1 c. à soupe) de zestes de citron. Saler, poivrer et remuer.

8 œufs enrichis en oméga-3 ❶

Prosciutto ❷
4 tranches

1 laitue frisée verte ❸
déchiquetée

Vinaigrette balsamique ❹
60 ml (¼ de tasse)

Noix de Grenoble ❺
60 ml (¼ de tasse)

Salade aux œufs mollets et croustillant de prosciutto

Préparation : **15 minutes** • Cuisson : **5 minutes** • Quantité : **4 portions**

Préparation

Dans une casserole d'eau bouillante, déposer les œufs et cuire 5 minutes. Retirer de l'eau et refroidir sous l'eau froide quelques minutes.

Déposer les tranches de prosciutto dans une assiette entre deux feuilles de papier absorbant. Cuire 1 minute au micro-ondes à puissance maximale, jusqu'à ce que le prosciutto soit croustillant.

Dans un saladier, déposer la laitue et, si désiré, les oignons verts.

Verser la vinaigrette dans le saladier et remuer.

Écaler délicatement les œufs.

Répartir la salade dans les assiettes. Émietter grossière-ment le prosciutto.

Garnir chaque portion de prosciutto, de noix de Grenoble et de 2 œufs cuits mollets. Si désiré, servir avec les tranches de pain baguette grillées.

PAR PORTION	
Calories	312
Protéines	19 g
Matières grasses	21 g
Oméga-3	2,3 g
Oméga-6	4 g
Glucides	12 g
Fibres	1 g
Fer	3 mg
Calcium	69 mg
Sodium	609 mg

Version minceur

Non seulement le prosciutto est moins calorique que le bacon, mais il contient aussi beaucoup moins de sodium : 25 g de pros-ciutto en contiennent 500 mg, tandis que la même quantité de bacon en contient 607 mg.

67 CALORIES

Prosciutto

Pour 25 g

133 CALORIES

Bacon

FACULTATIF :

➤ **2 oignons verts** hachés

➤ **4 tranches de pain baguette** grillées

1 pain baguette ❶

Pastrami ❷
8 tranches

Pommes séchées ❸
émincées
1 paquet de 100 g

Brie ❹
coupé en tranches
200 g (environ ½ lb)

Noix de Grenoble ❺
hachées
125 ml (½ tasse)

Croûtons au pastrami, pommes et brie

Préparation : **15 minutes** • Cuisson : **6 minutes** • Quantité : **4 portions (8 croûtons)**

Préparation

Préchauffer le four à 205 °C (400 °F).

Couper la baguette sur l'épaisseur, puis trancher chaque demi-baguette en quatre morceaux.

Si désiré, badigeonner chaque demi-baguette avec le pesto aux tomates séchées.

Garnir de tranches de pastrami, de pommes séchées et de brie. Parsemer de noix de Grenoble. Poivrer.

Déposer sur une plaque de cuisson. Cuire au four de 6 à 8 minutes.

PAR PORTION	
2 croûtons	
Calories	481
Protéines	23 g
Matières grasses	28 g
Oméga-3	2 g
Oméga-6	6 g
Glucides	36 g
Fibres	3 g
Fer	3 mg
Calcium	137 mg
Sodium	863 mg

Idée pour accompagner

Salade endives et mesclun

Dans un saladier, mélanger 30 ml (2 c. à soupe) d'huile de noix avec 30 ml (2 c. à soupe) d'huile d'olive, 15 ml (1 c. à soupe) de vinaigre de cidre et 30 ml (2 c. à soupe) de ciboulette hachée. Saler et poivrer. Ajouter 3 endives émincées, 500 ml (2 tasses) de mesclun et 250 ml (1 tasse) de raisins rouges coupés en deux. Remuer.

FACULTATIF :
➤ **Pesto aux tomates séchées**
15 ml (1 c. à soupe)

Photo pommes séchées : Shutterstock.

Miel
60 ml (¼ de tasse) **1**

Sauce teriyaki
réduite en sodium
80 ml (⅓ de tasse) **2**

Chapelure panko **3**
250 ml (1 tasse)

Graines de sésame **4**
80 ml (⅓ de tasse)

Poulet **5**
8 hauts de cuisses
désossés sans peau

PRÉVOIR AUSSI :
➤ **Ail**
haché
5 ml (1 c. à thé)

Hauts de cuisses croustillants au sésame

Préparation : **15 minutes** • Cuisson : **45 minutes** • Quantité : **4 portions**

Préparation

Préchauffer le four à 180°C (350°F).

Dans un bol, délayer le miel dans la sauce teriyaki. Ajouter l'ail et remuer.

Dans une assiette creuse, mélanger la chapelure avec les graines de sésame.

Badigeonner les hauts de cuisses avec la préparation au miel, puis les enrober de chapelure. Déposer les morceaux de poulet sur une plaque de cuisson tapissée d'une feuille de papier parchemin.

Cuire au four de 45 à 50 minutes, jusqu'à ce que le poulet soit doré et que l'intérieur de la chair ait perdu sa teinte rosée.

PAR PORTION	
Calories	360
Protéines	27 g
Matières grasses	12 g
Oméga-3	0,2 g
Oméga-6	4 g
Glucides	37 g
Fibres	2 g
Fer	4 mg
Calcium	146 mg
Sodium	554 mg

Idée pour accompagner

Sauce miel et lime

Mélanger 80 ml (⅓ de tasse) de crème sure avec 15 ml (1 c. à soupe) de miel et 10 ml (2 c. à thé) de zestes de lime. Saler et poivrer.

Porc haché maigre ❶
450 g (1 lb)

Sauce aux huîtres ❷
30 ml (2 c. à soupe)

Fèves germées ❸
375 ml (1 ½ tasse)

Laitue Boston ❹
8 feuilles

**Nouilles frites
à la vapeur** ❺
250 ml (1 tasse)

PRÉVOIR AUSSI :
➤ **Sauce soya**
réduite en sodium
45 ml (3 c. à soupe)
➤ **Miel**
15 ml (1 c. à soupe)

FACULTATIF :
➤ 1 **oignon**
émincé

➤ 2 **oignons verts**
émincés

Sauté de porc haché à la chinoise

Préparation : **15 minutes** • Cuisson : **10 minutes** • Quantité : **4 portions**

Préparation

Dans une poêle ou dans un wok, chauffer un peu d'huile de canola à feu moyen-élevé. Saisir le porc haché et, si désiré, l'oignon de 3 à 4 minutes.

Dans un bol, mélanger la sauce aux huîtres avec la sauce soya et le miel. Verser dans la poêle et cuire de 4 à 5 minutes, en remuant de temps en temps.

Ajouter les fèves germées et, si désiré, les oignons verts. Cuire de 1 à 2 minutes.

Répartir les feuilles de laitue dans les assiettes. Garnir de la préparation au porc. Parsemer de nouilles frites.

PAR PORTION	
Calories	565
Protéines	34 g
Matières grasses	26 g
Oméga-3	1 g
Oméga-6	3 g
Glucides	50 g
Fibres	3 g
Fer	2 mg
Calcium	47 mg
Sodium	801 mg

Idée pour accompagner

Salade de vermicelles de riz à la julienne de carotte et concombres

Réhydrater 200 g (environ ½ lb) de vermicelles de riz selon les indications de l'emballage. Dans un saladier, mélanger 60 ml (¼ de tasse) d'huile d'olive avec 30 ml (2 c. à soupe) de jus de lime, 15 ml (1 c. à soupe) de graines de sésame, 15 ml (1 c. à soupe) de miel et 30 ml (2 c. à soupe) de ciboulette hachée. Saler et poivrer. Ajouter 1 carotte et 2 mini-concombres coupés en julienne ainsi que les vermicelles. Remuer.

Sans gluten

Pas toujours évident de varier le menu lorsque l'on souffre de la maladie cœliaque ! Le même défi s'impose lorsque l'on reçoit une personne aux prises avec cette intolérance. Voici donc de l'inspiration pour cuisiner sans gluten, et ce, sans couper dans le plaisir ni sur le goût !

Sirop d'érable
60 ml (¼ de tasse) ①

**Épices à steak
sans gluten** ②
15 ml (1 c. à soupe)

**Bœuf haché
mi-maigre** ③
450 g (1 lb)

**Craquelins aux
fines herbes et ail
sans gluten** ④
de type Breton
réduits en chapelure
60 ml (¼ de tasse)

**12 tomates cerises
jaunes** ⑤

PRÉVOIR AUSSI
➤ **Échalotes sèches**
(françaises)
hachées
60 ml (¼ de tasse)
➤ 1 **œuf**

FACULTATIF :
➤ 1 **poivron rouge**
coupé en cubes

Brochettes de boulettes de viande érable et ail

Préparation : **15 minutes** • Cuisson : **15 minutes** • Quantité : **4 portions**

Préparation

Dans un bol, mélanger le sirop d'érable avec les épices à steak.

Dans un autre bol, mélanger le bœuf haché avec les craquelins, les échalotes et l'œuf. Assaisonner de sel et de poivre du moulin. Façonner de 12 à 16 boulettes de viande de la même grosseur que les tomates cerises avec la préparation.

Préchauffer le barbecue à puissance moyenne-élevée ou le four à 205 °C (400 °F).

Assembler quatre brochettes en faisant alterner les boulettes, les tomates cerises et, si désiré, le poivron.

Pour la cuisson au barbecue : sur la grille chaude et huilée, déposer les brochettes et les badigeonner de sauce à l'érable. Fermer le couvercle et cuire de 10 à 12 minutes, en retournant les brochettes à quelques reprises et en les badigeonnant de sauce à l'érable en cours de cuisson.

Pour la cuisson au four : déposer les brochettes sur une plaque de cuisson tapissée de papier parchemin et les badigeonner de sauce à l'érable. Cuire de 15 à 18 minutes, en retournant les brochettes à mi-cuisson et en les badigeonnant de sauce à l'érable en cours de cuisson.

PAR PORTION	
Calories	379
Protéines	24 g
Matières grasses	21 g
Glucides	23 g
Fibres	2 g
Fer	3 mg
Calcium	51 mg
Sodium	257 mg

Idée pour accompagner

Salade de riz à la menthe et avocat

Dans un saladier, mélanger 80 ml (⅓ de tasse) d'huile d'olive avec 30 ml (2 c. à soupe) de jus de citron et 15 ml (1 c. à soupe) de moutarde de Dijon. Ajouter ½ oignon rouge coupé en dés et 2 avocats coupés en dés. Remuer. Incorporer 500 ml (2 tasses) de riz cuit et 60 ml (¼ de tasse) de menthe hachée. Assaisonner de sel et de poivre du moulin.

Porc
1
675 g (environ 1 ½ lb)
de filet

2 carottes
2
pelées et coupées
en dés

Vin blanc
3
250 ml (1 tasse)

Sauce tomate
sans gluten
4
500 ml (2 tasses)

Noix de cajou
5
250 ml (1 tasse)

> 2 **oignons**
hachés

> **Bouillon
de légumes
sans gluten**
250 ml (1 tasse)

FACULTATIF :
> **Sauge**
hachée
5 ml (1 c. à thé)

Porc aux tomates et noix de cajou

Préparation : **15 minutes** • Cuisson : **18 minutes** • Quantité : **de 4 à 6 portions**

Préparation

Préchauffer le four à 205 °C (400 °F).

Dans une poêle allant au four, chauffer un peu d'huile d'olive à feu moyen. Faire dorer le filet de porc sur toutes les faces.

Ajouter les carottes, le vin blanc, la sauce tomate, les oignons, le bouillon et, si désiré, la sauge dans la poêle. Assaisonner de sel et de poivre du moulin. Porter à ébullition.

Couvrir et cuire au four de 13 à 14 minutes.

Ajouter les noix de cajou dans la poêle et poursuivre la cuisson au four 5 minutes.

PAR PORTION	
Calories	333
Protéines	31 g
Matières grasses	13 g
Glucides	17 g
Fibres	3 g
Fer	4 mg
Calcium	46 mg
Sodium	601 mg

Idée pour accompagner

Couscous de chou-fleur

À l'aide du robot culinaire, hacher grossièrement 1 chou-fleur coupé en morceaux. Dans un saladier, fouetter 60 ml (¼ de tasse) d'huile d'olive avec 30 ml (2 c. à soupe) de jus de citron, 60 ml (¼ de tasse) de persil haché et 60 ml (¼ de tasse) de menthe hachée. Saler et assaisonner de quelques gouttes de harissa. Couper en dés ½ oignon rouge, ½ concombre et 3 tomates. Ajouter dans le saladier avec le chou-fleur et mélanger.

Photo carottes : Shutterstock.

**Pâte à pizza
sans gluten**
du commerce
500 g (environ 1 lb)

1

Coulis de tomates
125 ml (½ tasse)

2

Mozzarella
râpée
375 ml (1 ½ tasse)

3

Parmesan
râpé
80 ml (⅓ de tasse)

4

Basilic
quelques feuilles

5

Pizza margarita

Préparation : **10 minutes** • Cuisson : **15 minutes** • Quantité : **4 portions**

Préparation

Préchauffer le four à 220 °C (425 °F).

À l'aide d'un pinceau, badigeonner une plaque à pizza d'un peu d'huile d'olive. Déposer la pâte sur la plaque et façonner avec les doigts pour obtenir un disque d'environ 25 cm (10 po) de diamètre.

Étaler le coulis de tomates sur la pâte, puis garnir de fromage.

Cuire au four de 15 à 17 minutes, jusqu'à ce que la pâte soit cuite et le fromage doré.

Au moment de servir, parsemer de basilic.

PAR PORTION	
Calories	443
Protéines	21 g
Matières grasses	16 g
Glucides	53 g
Fibres	3 g
Fer	3 mg
Calcium	451 mg
Sodium	1 029 mg

Version maison

Pâte à pizza sans gluten

Dans un grand bol, mélanger 125 ml (½ tasse) d'eau chaude avec 10 ml (2 c. à thé) de levure instantanée sans gluten et 10 ml (2 c. à thé) de sucre. Laisser reposer 10 minutes. Dans un autre bol, mélanger 310 ml (1 ¼ tasse) de farine de riz brun avec 180 ml (¾ de tasse) de farine de tapioca, 125 ml (½ tasse) de farine de maïs, 5 ml (1 c. à thé) de gomme de xanthane et 5 ml (1 c. à thé) de sel. Former un puits au centre du mélange et y verser 2 œufs battus, 30 ml (2 c. à soupe) d'huile d'olive, 5 ml (1 c. à thé) de vinaigre blanc et le mélange de levure. Travailler la pâte avec les doigts, puis avec les mains pour former une boule de pâte lisse. Ajouter un peu de farine de riz au besoin si la pâte est trop collante. Déposer la pâte sur une plaque à pizza badigeonnée d'un peu d'huile d'olive. Façonner avec les doigts pour obtenir un disque d'environ 25 cm (10 po) de diamètre. Laisser gonfler la pâte 20 minutes.

Recette de Ève Godin, nutritionniste. Photo basilic : Shutterstock.

Dindon haché
225 g (½ lb)

①

Chapelure nature sans gluten
60 ml (¼ de tasse)

②

Assaisonnements italiens sans gluten
7,5 ml (½ c. à soupe)

③

Tomates entières
1 boîte de 796 ml

④

Spaghettis de riz et de quinoa
de type Gogo Quinoa
1 paquet de 227 g

⑤

PRÉVOIR AUSSI :
➤ **Ail**
1 gousse
hachée finement

➤ **1 œuf**

FACULTATIF :
➤ **Flocons de piment**
2,5 ml (½ c. à thé)

Spaghettis de quinoa, sauce aux boulettes de dindon

Préparation : **15 minutes** • Cuisson : **28 minutes** • Quantité : **4 portions (16 boulettes)**

Préparation

Dans un bol, mélanger le dindon avec la chapelure, les assaisonnements italiens, l'ail, l'œuf et, si désiré, les flocons de piment. Assaisonner de sel et de poivre du moulin. Façonner 16 boulettes en utilisant environ 30 ml (2 c. à soupe) de préparation pour chacune d'elles.

Dans une poêle, chauffer un peu d'huile d'olive à feu moyen-élevé. Faire dorer les boulettes de dindon de 2 à 3 minutes sur toutes les faces. Déposer dans une assiette tapissée de papier absorbant.

Dans une casserole, verser les tomates. À l'aide du mélangeur à main, réduire les tomates en purée. Assaisonner de sel et de poivre du moulin.

Ajouter les boulettes de dindon dans la casserole. Couvrir et cuire de 25 à 30 minutes à feu doux-moyen, jusqu'à ce que la sauce ait épaissi.

Dans une casserole d'eau bouillante salée, cuire les pâtes *al dente*. Égoutter.

Répartir les pâtes dans les assiettes et garnir chaque portion de boulettes de dindon et de sauce.

PAR PORTION	
Calories	389
Protéines	19 g
Matières grasses	7 g
Glucides	63 g
Fibres	3 g
Fer	7 mg
Calcium	73 mg
Sodium	110 mg

Idée pour accompagner

Salade aux cœurs de palmier et bacon croustillant

Dans un saladier, mélanger 15 ml (1 c. à soupe) de jus de citron avec 10 ml (2 c. à thé) de moutarde de Dijon, 15 ml (1 c. à soupe) d'estragon haché et 5 ml (1 c. à thé) d'ail haché. Verser 125 ml (½ tasse) d'huile d'olive en un mince filet et l'incorporer graduellement en fouettant. Assaisonner de sel et de poivre du moulin. Incorporer 250 ml (1 tasse) de roquette, de 4 à 6 feuilles de laitue frisée rouge déchiquetées, le contenu de 1 boîte de cœurs de palmier de 398 ml égouttés et émincés ainsi que 8 tranches de bacon sans gluten cuites et coupées en morceaux.

Poulet ❶
3 poitrines sans peau
coupées en lanières

1 poivron rouge ❷
émincé

Lait de coco ❸
1 boîte de 400 ml

Sauce aux arachides sans gluten ❹
du commerce
de type San-J
180 ml (¾ de tasse)

Arachides rôties ❺
hachées
60 ml (¼ de tasse)

PRÉVOIR AUSSI :
➤ **Gingembre**
haché
15 ml (1 c. à soupe)

➤ **Ail**
haché
5 ml (1 c. à thé)

Poulet aux arachides

Préparation : **15 minutes** • Cuisson : **7 minutes** • Quantité : **4 portions**

Préparation

Dans une poêle, chauffer un peu d'huile de canola à feu moyen. Saisir le poulet de 1 à 2 minutes.

Ajouter le poivron, le gingembre et l'ail. Cuire de 2 à 3 minutes.

Dans un bol, fouetter le lait de coco avec la sauce aux arachides. Verser la sauce dans la poêle. Laisser mijoter de 7 à 8 minutes à feu moyen.

Au moment de servir, parsemer d'arachides rôties et, si désiré, de coriandre.

PAR PORTION	
Calories	443
Protéines	31 g
Matières grasses	26 g
Glucides	24 g
Fibres	3 g
Fer	3 mg
Calcium	38 mg
Sodium	1 223 mg

Version maison

Sauce aux arachides sans gluten

Fouetter 80 ml (⅓ de tasse) de beurre d'arachide croquant avec 125 ml (½ tasse) de bouillon de poulet sans gluten, 15 ml (1 c. à soupe) de tamari, 15 ml (1 c. à soupe) de vinaigre de riz et 5 ml (1 c. à thé) de sambal oelek.

FACULTATIF :
➤ **Coriandre**
quelques feuilles
émincées

**Sauce à la viande
sans gluten**
du commerce
1 litre (4 tasses) **1**

2 grosses courgettes **2**
coupées en longues
tranches minces

1 petite aubergine **3**
coupée en longues
tranches minces

Champignons **4**
hachés
1 contenant de 227 g

Mozzarella **5**
râpée
500 ml (2 tasses)

Lasagne aux courgettes et aubergine

Préparation : **15 minutes** • Cuisson : **45 minutes** • Quantité : **6 portions**

Préparation

Préchauffer le four à 180 °C (350 °F).

Dans un plat de cuisson de 33 cm x 23 cm (13 po x 9 po), étaler une couche de sauce, puis couvrir de tranches de courgettes, de tranches d'aubergine et de champignons. Couvrir d'une autre couche de sauce, puis d'un autre étage de légumes. Répéter avec le reste de la sauce, des tranches de courgettes, des tranches d'aubergine et des champignons. Parsemer de mozzarella.

Cuire au four 45 minutes, jusqu'à ce que le fromage soit gratiné et que les légumes soient tendres.

Laisser tiédir quelques minutes avant de servir.

PAR PORTION	
Calories	301
Protéines	17 g
Matières grasses	16 g
Glucides	25 g
Fibres	6 g
Fer	3 mg
Calcium	290 mg
Sodium	936 mg

Version maison

Sauce à la viande sans gluten

Dans une poêle, chauffer 7,5 ml (½ c. à soupe) d'huile d'olive à feu moyen. Cuire 1 petit oignon haché 4 minutes, jusqu'à ce qu'il soit tendre, mais sans laisser colorer. Ajouter 1 gousse d'ail hachée finement et cuire 30 secondes. Ajouter 300 g (⅔ de lb) de veau haché et cuire jusqu'à ce que la viande ait perdu sa teinte rosée. Ajouter le contenu de 1 bouteille de coulis de tomates de 700 ml. Assaisonner de sel et de poivre du moulin. Porter à ébullition, puis couvrir et laisser mijoter 30 minutes à feu doux.

Porc ①
755 g (1 ⅔ lb) de filets
coupés en cubes

Mélange de légumes ②
surgelés pour la
mijoteuse
500 ml (2 tasses)

Bouillon de bœuf ③
sans gluten
500 ml (2 tasses)

Mélasse ④
60 ml (¼ de tasse)

Vinaigre de vin rouge ⑤
60 ml (¼ de tasse)

PRÉVOIR AUSSI :
➤ **Farine de riz**
ou mélange de
farines sans gluten
30 ml (2 c. à soupe)
➤ **Cassonade**
30 ml (2 c. à soupe)

FACULTATIF :
➤ **Gingembre moulu**
1,25 ml
(¼ de c. à thé)

Ragoût de porc aigre-doux

Préparation : **15 minutes** • Cuisson : **25 minutes** • Quantité : **4 portions**

Préparation

Assécher la viande à l'aide de papier absorbant.
Dans une casserole, chauffer un peu d'huile de canola
à feu moyen. Saisir quelques cubes de viande à la fois
de 2 à 3 minutes, jusqu'à ce que chacune de leurs faces
soit dorée. Réserver dans une assiette.

Ajouter le mélange de légumes dans la casserole
et cuire de 1 à 2 minutes. Saupoudrer de farine.
Remuer et cuire 1 minute.

Ajouter les cubes de porc, le bouillon, la mélasse,
le vinaigre, la cassonade et, si désiré, le gingembre.
Assaisonner de sel et de poivre du moulin. Porter
à ébullition. Laisser mijoter de 18 à 20 minutes
à feu doux-moyen.

PAR PORTION	
Calories	373
Protéines	45 g
Matières grasses	6 g
Glucides	32 g
Fibres	2 g
Fer	4 mg
Calcium	82 mg
Sodium	187 mg

Idée pour accompagner

Purée de chou-fleur et pommes de terre

Dans une casserole, déposer 1 chou-
fleur coupé en bouquets et 2 pommes de
terre pelées et coupées en cubes. Couvrir d'eau
froide et saler. Porter à ébullition, puis cuire de
15 à 18 minutes, jusqu'à tendreté. Égoutter et réduire
en purée avec 30 ml (2 c. à soupe) de beurre. Incorporer
45 ml (3 c. à soupe) de ciboulette hachée. Assaisonner
de sel et de poivre du moulin.

Saumon ①
600 g (environ 1 ⅓ lb)
de filets, la peau
enlevée et coupés
en cubes de 3,5 cm
(1 ½ po)

1 poivron jaune ②
coupé en cubes

1 courgette ③
coupée en
16 demi-rondelles

Aneth ④
haché
30 ml (2 c. à soupe)

Citron ⑤
30 ml (2 c. à soupe)
de zestes

Brochettes de saumon à l'aneth et au citron

Préparation : **15 minutes** • Cuisson : **12 minutes** • Quantité : **4 portions (8 brochettes)**

Préparation

Préchauffer le barbecue à puissance moyenne-élevée ou le four à 205 °C (400 °F). Si désiré, faire tremper des brochettes en bois dans l'eau 15 minutes avant la cuisson.

Assembler huit brochettes en faisant alterner les cubes de saumon et de poivron, les morceaux d'oignon rouge et les demi-rondelles de courgette. Si désiré, piquer une tomate cerise sur chaque brochette. Assaisonner de sel et de poivre du moulin.

Dans un bol, mélanger l'aneth avec les zestes, l'huile d'olive et, si désiré, le persil. Réserver.

Pour la cuisson au barbecue : sur la grille chaude et huilée, cuire les brochettes de saumon de 8 à 10 minutes, en les retournant de temps en temps.

Pour la cuisson au four : déposer les brochettes de saumon sur une plaque de cuisson tapissée de papier parchemin. Cuire de 12 à 15 minutes, en retournant les brochettes à mi-cuisson.

Badigeonner les brochettes d'huile à l'aneth et au citron au moment de servir.

PAR PORTION	
2 brochettes	
Calories	319
Protéines	32 g
Matières grasses	17 g
Glucides	10 g
Fibres	2 g
Fer	2 mg
Calcium	50 mg
Sodium	114 mg

Idée pour accompagner

Riz aux fines herbes

Dans une casserole, faire fondre 30 ml (2 c. à soupe) de beurre à feu moyen. Cuire 1 oignon haché de 3 à 4 minutes. Ajouter 250 ml (1 tasse) de riz basmati rincé à l'eau froide. Remuer et ajouter 500 ml (2 tasses) de bouillon de légumes sans gluten. Assaisonner de sel et de poivre du moulin. Couvrir et cuire de 18 à 20 minutes à feu doux-moyen. Ajouter 30 ml (2 c. à soupe) d'aneth haché et 30 ml (2 c. à soupe) de persil haché. Remuer.

PRÉVOIR AUSSI :
➤ **1 oignon rouge**
coupé en 16 morceaux
➤ **Huile d'olive**
30 ml (2 c. à soupe)

FACULTATIF :
➤ **8 tomates cerises**
➤ **Persil**
haché
30 ml (2 c. à soupe)

Poulet
4 cuisses ①

Romarin ②
haché
30 ml (2 c. à soupe)

Thym ③
haché
30 ml (2 c. à soupe)

Flocons de piment ④
15 ml (1 c. à soupe)

Citron ⑤
30 ml (2 c. à soupe)
de jus

PRÉVOIR AUSSI :
➤ **Ail**
4 gousses
émincées

➤ **Huile d'olive**
30 ml (2 c. à soupe)

Cuisses de poulet grillées aux fines herbes

Préparation : **15 minutes** • Marinage : **15 minutes** • Cuisson : **35 minutes**
Quantité : **4 portions**

Préparation

Dans un plat de cuisson, déposer les cuisses de poulet. Assaisonner de sel et de poivre du moulin.

Dans un bol, mélanger le romarin avec le thym, les flocons de piment, le jus de citron, l'ail et l'huile d'olive. Napper le poulet avec les trois quarts de la marinade. Couvrir et laisser mariner 15 minutes au réfrigérateur. Réserver le reste de la marinade au frais.

Au moment de la cuisson, préchauffer le four à 205 °C (400 °F).

Cuire les cuisses de poulet au four 35 minutes, jusqu'à ce que la peau commence à brunir légèrement et qu'un thermomètre à cuisson inséré dans la cuisse indique 75 °C (167 °F).

Déposer le poulet sur une planche à découper. Couvrir d'une feuille de papier d'aluminium, sans serrer. Laisser reposer 15 minutes.

Napper le poulet avec le reste de la marinade au moment de servir.

PAR PORTION	
Calories	386
Protéines	31 g
Matières grasses	27 g
Glucides	3 g
Fibres	1 g
Fer	2 mg
Calcium	33 mg
Sodium	134 mg

Idée pour accompagner

Salade de fenouil poêlé

Dans une poêle, chauffer un peu d'huile d'olive à feu doux-moyen. Cuire 2 bulbes de fenouil coupés en six de 4 à 5 minutes. Laisser tiédir, puis couper en lanières. Réserver. Dans un saladier, mélanger 80 ml (⅓ de tasse) d'huile d'olive avec 125 ml (½ tasse) de noix de Grenoble hachées et 2,5 ml (½ c. à thé) de flocons de piment. Assaisonner de sel et de poivre du moulin. Ajouter 125 ml (½ tasse) de copeaux de parmesan, 500 ml (2 tasses) de bébés épinards et le fenouil. Remuer.

Nouilles de riz ❶
1 paquet de 250 g

**Bouillon de bœuf
sans gluten** ❷
1,5 litre (6 tasses)

Gingembre ❸
haché
15 ml (1 c. à soupe)

Bœuf ❹
200 g (environ ½ lb)
de bifteck de haut
de surlonge coupé
en lanières

Fèves germées ❺
250 ml (1 tasse)

PRÉVOIR AUSSI :
➤ **Oignon**
haché
30 ml (2 c. à soupe)

➤ 2 **oignons verts**
émincés

FACULTATIF :
➤ 2 **anis étoilés**

➤ 2 **limes**
coupées
en quartiers

Soupe Pho Bo

Préparation : **15 minutes** • Cuisson : **20 minutes** • Quantité : **4 portions**

Préparation

Réhydrater les nouilles de riz selon les indications de l'emballage. Égoutter.

Dans une casserole, porter à ébullition le bouillon de bœuf avec le gingembre, l'oignon et, si désiré, les anis étoilés. Couvrir et laisser mijoter 15 minutes à feu moyen.

Ajouter les lanières de bœuf et prolonger la cuisson de 5 minutes.

Répartir les nouilles et les oignons verts dans des bols préalablement réchauffés sous l'eau chaude. Verser le bouillon dans les bols. Ajouter les fèves germées. Si désiré, arroser chaque portion de jus de lime.

PAR PORTION	
Calories	360
Protéines	19 g
Matières grasses	4 g
Glucides	63 g
Fibres	3 g
Fer	3 mg
Calcium	57 mg
Sodium	215 mg

Idée pour accompagner

Salade de chou chinois à l'asiatique

Dans un saladier, fouetter 80 ml (⅓ de tasse) d'huile de sésame (non grillé) avec 60 ml (¼ de tasse) de jus d'orange, 30 ml (2 c. à soupe) de vinaigre de riz, 30 ml (2 c. à soupe) de miel, 30 ml (2 c. à soupe) de graines de sésame grillées, 30 ml (2 c. à soupe) de coriandre hachée et 15 ml (1 c. à soupe) de gingembre haché. Assaisonner de sel et de poivre du moulin. Ajouter ½ chou chinois émincé finement, 1 carotte taillée en julienne, ½ concombre taillé en julienne et 2 oignons verts hachés dans le saladier. Remuer.

Sarrasin kasha ①
(décortiqué et grillé)
250 ml (1 tasse)

Citron ②
60 ml (¼ de tasse)
de jus

2 concombres libanais ③
coupés en
demi-rondelles

10 tomates cerises ④
coupées en deux

Pois chiches ⑤
rincés et égouttés
250 ml (1 tasse)

PRÉVOIR AUSSI :
➤ **Sirop d'érable**
15 ml (1 c. à soupe)

➤ **Harissa**
ou sambal oelek
15 ml (1 c. à soupe)

FACULTATIF :
➤ **1 poivron jaune**
coupé en dés

➤ **Persil**
quelques tiges
hachées

Salade de sarrasin à la méditerranéenne

Préparation : **15 minutes** • Cuisson : **7 minutes** • Quantité : **4 portions**

Préparation

Dans une poêle, chauffer le sarrasin à feu moyen-élevé. Remuer quelques minutes jusqu'à ce que les grains rôtissent légèrement.

Verser 375 ml (1 ½ tasse) d'eau et porter à ébullition. Couvrir et laisser mijoter 7 minutes à feu doux, jusqu'à ce que les grains aient absorbé l'eau. Retirer du feu et laisser refroidir complètement.

Dans un saladier, mélanger le jus de citron avec le sirop d'érable et la harissa. Assaisonner de sel et de poivre du moulin. Ajouter les concombres, les tomates cerises, les pois chiches et, si désiré, le poivron et le persil. Remuer.

Ajouter le sarrasin et remuer.

PAR PORTION	
Calories	288
Protéines	12 g
Matières grasses	3 g
Glucides	59 g
Fibres	6 g
Fer	3 mg
Calcium	72 mg
Sodium	55 mg

Idée pour accompagner

Pain sans gluten gratiné au fromage suisse

Mélanger 250 ml (1 tasse) de fromage suisse râpé avec 15 ml (1 c. à soupe) de thym haché et 15 ml (1 c. à soupe) d'assaisonnements italiens sans gluten. Sur une plaque de cuisson, déposer 4 tranches de pain sans gluten et couvrir du mélange au fromage. Cuire au four de 8 à 10 minutes à 205 °C (400 °F). Couper les tranches de pain en deux.

Complétez votre repas avec ce pain gratiné qui procure 9 g de protéines par portion !

Recette de Ève Godin, nutritionniste. Photo sarrasin : Shutterstock.

Porc
6 côtelettes de longe ①

1 poivron rouge ②
émincé

20 pois sucrés ③
émincés

Chou nappa ④
émincé
500 ml (2 tasses)

**Sauce teriyaki
sans gluten** ⑤
de type San-J
250 ml (1 tasse)

Sauté de porc à l'asiatique

Préparation : **15 minutes** • Cuisson : **10 minutes** • Quantité : **4 portions**

Préparation

Parer les côtelettes de porc en retirant l'excédent
de gras, puis les couper en fines lanières.

Dans une poêle, chauffer l'huile de sésame à feu
moyen. Faire dorer les lanières de porc de 3 à
4 minutes, en procédant par petites quantités.
Transférer dans une assiette.

Dans la même poêle, cuire le poivron avec
les pois sucrés 2 minutes.

Ajouter le chou nappa et les oignons verts.
Cuire 1 minute.

Remettre la viande dans la poêle et verser la sauce
teriyaki. Porter à ébullition en remuant, puis cuire
1 minute à feu doux.

Si désiré, parsemer de graines de sésame
au moment de servir.

PAR PORTION	
Calories	393
Protéines	41 g
Matières grasses	15 g
Glucides	22 g
Fibres	1 g
Fer	2 mg
Calcium	72 mg
Sodium	264 mg

Idée pour accompagner

Vermicelles de riz aux graines de sésame grillées

Réhydrater 150 g (⅓ de lb) de
vermicelles de riz dans l'eau bouillante
de 8 à 10 minutes. Égoutter. Dans une
poêle, chauffer 80 ml (⅓ de tasse) de bouillon de légumes sans gluten avec 3 oignons verts
émincés de 1 à 2 minutes à feu moyen. Assaisonner de sel
et de poivre du moulin. Ajouter les vermicelles et cuire de
2 à 3 minutes. Parsemer de 15 ml (1 c. à soupe) de graines
de sésame grillées.

Sirop d'érable
60 ml (¼ de tasse) ①

Ail ②
8 gousses
entières pelées
+ 1 gousse hachée

12 carottes nantaises ③
coupées en deux
sur la longueur

12 choux de Bruxelles ④
coupés en deux

Poulet ⑤
4 poitrines sans peau

PRÉVOIR AUSSI :
➤ **Moutarde de Dijon**
30 ml (2 c. à soupe)

➤ **1 oignon rouge**
coupé en quartiers

FACULTATIF :
➤ **Thym**
haché
15 ml (1 c. à soupe)

Poulet caramélisé à l'érable et légumes grillés

Préparation : **15 minutes** • Cuisson : **22 minutes** • Quantité : **4 portions**

Préparation

Préchauffer le four à 205 °C (400 °F).

Dans un bol, mélanger le sirop d'érable avec l'ail haché et la moutarde de Dijon.

Si désiré, mélanger un peu d'huile d'olive avec le thym dans un autre bol. Assaisonner de sel et de poivre du moulin. Ajouter les gousses d'ail, les carottes, les choux de Bruxelles et l'oignon rouge dans le bol. Remuer.

Dans une poêle, chauffer un peu d'huile d'olive à feu moyen. Saisir les poitrines 1 minute de chaque côté. Déposer le poulet et le mélange de légumes dans un grand plat de cuisson, sans les superposer.

Badigeonner le poulet et les légumes de sauce à l'érable. Cuire au four 20 minutes, jusqu'à ce que l'intérieur de la chair du poulet ait perdu sa teinte rosée.

PAR PORTION	
Calories	280
Protéines	34 g
Matières grasses	3 g
Glucides	30 g
Fibres	4 g
Fer	2 mg
Calcium	101 mg
Sodium	223 mg

Idée pour accompagner

Linguines sans gluten aux poireaux et tomates cerises

Dans une casserole d'eau bouillante salée, cuire le contenu de 1 boîte de linguines sans gluten de 340 g *al dente*. Égoutter. Dans la même casserole, chauffer 45 ml (3 c. à soupe) d'huile d'olive à feu moyen. Cuire le contenu de 1 sac de poireaux émincés de 250 g (ou 2 blancs de poireaux émincés) de 4 à 5 minutes. Ajouter 10 ml (2 c. à thé) d'ail haché, de 12 à 16 tomates cerises coupées en deux, 15 ml (1 c. à soupe) de ciboulette hachée, 30 ml (2 c. à soupe) de basilic haché et les pâtes. Assaisonner de sel et de poivre du moulin. Cuire de 1 à 2 minutes. Si désiré, saupoudrer de 60 ml (¼ de tasse) de parmesan râpé au moment de servir.

Citron ①
45 ml (3 c. à soupe)
de jus

Miel ②
30 ml (2 c. à soupe)

Ail ③
2 gousses hachées

Mélasse ④
15 ml (1 c. à soupe)

Porc ⑤
675 g (environ 1 ½ lb)
de filet

PRÉVOIR AUSSI:
➤ **Huile d'olive**
45 ml (3 c. à soupe)

Filet de porc miel et ail

Préparation: **15 minutes** • Marinage: **15 minutes** • Cuisson: **20 minutes** • Quantité: **4 portions**

Préparation

Dans un sac hermétique, mélanger le jus de citron avec le miel, l'ail, la mélasse et l'huile d'olive. Assaisonner de sel et de poivre du moulin. Réserver le tiers de la marinade au frais. Déposer le filet de porc dans le sac contenant le reste de la marinade et laisser mariner de 15 minutes à 8 heures au frais.

Au moment de la cuisson, égoutter la viande et jeter la marinade.

Préchauffer le barbecue à puissance moyenne-élevée ou le four à 205°C (400°F).

Pour la cuisson au barbecue: sur la grille chaude et huilée du barbecue, cuire le filet de porc 20 minutes, en le badigeonnant avec la marinade réservée pendant les 10 premières minutes de cuisson et en le retournant à mi-cuisson, jusqu'à ce que l'intérieur de la chair soit légèrement rosé.

Pour la cuisson au four: déposer le filet de porc sur une plaque de cuisson tapissée de papier parchemin et le badigeonner avec la marinade réservée. Cuire de 18 à 20 minutes, en retournant le filet et en le badigeonnant de marinade à mi-cuisson, jusqu'à ce que l'intérieur de la chair soit légèrement rosé.

Déposer le filet de porc sur une planche à découper. Couvrir d'une feuille de papier d'aluminium, sans serrer, et laisser reposer de 8 à 10 minutes avant de trancher.

PAR PORTION	
Calories	325
Protéines	38 g
Matières grasses	12 g
Glucides	14 g
Fibres	0 g
Fer	2 mg
Calcium	25 mg
Sodium	95 mg

Idée pour accompagner

Riz basmati aux légumes

Rincer à l'eau froide 250 ml (1 tasse) de riz basmati. Égoutter. Dans une casserole, chauffer 15 ml (1 c. à soupe) d'huile d'olive à feu moyen. Faire revenir 1 oignon haché, 1 branche de céleri hachée et ½ poivron jaune ou orange coupé en dés de 2 à 3 minutes. Ajouter le riz et remuer. Verser 500 ml (2 tasses) de bouillon de légumes sans gluten. Assaisonner de sel et de poivre du moulin. Porter à ébullition, puis couvrir et cuire de 18 à 20 minutes à feu doux. Si désiré, incorporer 30 ml (2 c. à soupe) d'aneth haché.

Linguines sans gluten ①
1 boîte de 340 g

25 crevettes moyennes (calibre 31/40) ②
crues et décortiquées

Ail ③
haché
15 ml (1 c. à soupe)

Sauce rosée sans gluten ④
du commerce
500 ml (2 tasses)

Parmesan ⑤
râpé
125 ml (½ tasse)

Linguines aux crevettes, sauce rosée

Préparation : **10 minutes** • Cuisson : **10 minutes** • Quantité : **4 portions**

Préparation

Dans une casserole d'eau bouillante salée, cuire les pâtes *al dente*. Égoutter.

Pendant ce temps, chauffer un peu d'huile d'olive à feu moyen dans une autre casserole. Saisir les crevettes et l'ail de 1 à 2 minutes de chaque côté.

Incorporer la sauce rosée et porter à ébullition à feu moyen.

Ajouter les pâtes et le parmesan en remuant. Assaisonner de sel et de poivre du moulin. Réchauffer 1 minute.

Si désiré, parsemer de basilic au moment de servir.

PAR PORTION	
Calories	560
Protéines	28 g
Matières grasses	15 g
Glucides	78 g
Fibres	5 g
Fer	4 mg
Calcium	276 mg
Sodium	785 mg

Version maison

Sauce rosée sans gluten

Dans une casserole, chauffer 15 ml (1 c. à soupe) d'huile d'olive à feu moyen. Faire revenir 1 oignon haché, 15 ml (1 c. à soupe) d'ail haché et 15 ml (1 c. à soupe) de basilic émincé de 1 à 2 minutes. Ajouter le contenu de 1 boîte de tomates italiennes de 796 ml, 125 ml (½ tasse) de vin blanc et 30 ml (2 c. à soupe) de pâte de tomates. Porter à ébullition, puis laisser mijoter 15 minutes à feu moyen. Assaisonner de sel et de poivre du moulin. Incorporer 125 ml (½ tasse) de crème à cuisson 15 % et 125 ml (½ tasse) de parmesan râpé. Laisser mijoter 1 minute à feu doux-moyen.

FACULTATIF :
➤ **Basilic**
haché
15 ml (1 c. à soupe)

Orange ❶
15 ml (1 c. à soupe) de
zestes + 125 ml
(½ tasse) de jus

Tamari ❷
45 ml (3 c. à soupe)

Vinaigre de riz ❸
30 ml (2 c. à soupe)

Bœuf ❹
600 g (environ 1 ⅓ lb)
de biftecks de flanc
coupés en lanières

8 mini-poivrons ❺
de couleurs variées
coupés en deux

PRÉVOIR AUSSI:
➤ **Miel**
30 ml (2 c. à soupe)
➤ **Sauce sriracha**
2,5 ml (½ c. à thé)

FACULTATIF:
➤ **Gingembre**
haché
15 ml (1 c. à soupe)

Biftecks de flanc et mini-poivrons marinés à l'asiatique

Préparation : **15 minutes** • Marinage : **30 minutes** • Cuisson : **10 minutes** • Quantité : **4 portions**

Préparation

Dans un bol, mélanger les zestes avec le jus d'orange, le tamari, le vinaigre de riz, le miel, la sauce sriracha et, si désiré, le gingembre. Assaisonner de sel et de poivre du moulin. Transférer dans un sac hermétique.

Déposer les biftecks et les mini-poivrons dans le sac et secouer pour bien les enrober de marinade. Laisser mariner de 30 minutes à 8 heures au frais.

Au moment de la cuisson, égoutter la viande et les mini-poivrons. Jeter la marinade. Assaisonner les biftecks de sel et de poivre du moulin.

Pour la cuisson au barbecue: sur la grille chaude et huilée, cuire les lanières de bœuf de 3 à 4 minutes de chaque côté à puissance moyenne-élevée pour une cuisson saignante. Cuire les mini-poivrons de 2 à 3 minutes de chaque côté.

Pour la cuisson à la poêle: chauffer un peu d'huile de canola à feu moyen dans une poêle. Cuire les lanières de bœuf de 3 à 4 minutes. Transférer dans une assiette. Dans la même poêle, cuire les mini-poivrons de 3 à 4 minutes de chaque côté.

PAR PORTION	
Calories	254
Protéines	31 g
Matières grasses	11 g
Glucides	5 g
Fibres	0 g
Fer	3 mg
Calcium	12 mg
Sodium	295 mg

Idée pour accompagner

Riz à l'orange

Rincer à l'eau froide 125 ml (½ tasse) de riz basmati. Dans une casserole, verser 250 ml (1 tasse) de bouillon de poulet sans gluten et ajouter le riz. Assaisonner de sel et de poivre du moulin. Porter à ébullition, puis couvrir et cuire de 18 à 20 minutes à feu doux-moyen. Incorporer 15 ml (1 c. à soupe) de zestes d'orange.

Tofu ferme ①
grossièrement haché
250 ml (1 tasse)

Saumon ②
680 g (1 ½ lb) de filets
la peau enlevée et
grossièrement hachés

Aneth ③
haché
45 ml (3 c. à soupe)

**Chapelure nature
sans gluten** ④
80 ml (⅓ de tasse)

Semoule de maïs ⑤
125 ml (½ tasse)

PRÉVOIR AUSSI :
➤ 1 œuf
➤ **Ail**
2 gousses hachées
grossièrement

Croquettes de saumon et tofu

Préparation : **10 minutes** • Cuisson : **6 minutes** • Quantité : **4 portions (16 croquettes)**

Préparation

Dans le contenant du robot culinaire, déposer le tofu, le saumon, l'aneth, la chapelure, l'œuf et l'ail. Assaisonner de sel et de poivre du moulin. Mélanger de 1 à 2 minutes.

Façonner 16 croquettes en utilisant environ 60 ml (¼ de tasse) de préparation pour chacune d'elles.

Verser la semoule de maïs dans une assiette creuse. Enrober les galettes de semoule de maïs.

Dans une poêle, chauffer un peu d'huile d'olive à feu moyen. Cuire les galettes de 3 à 4 minutes de chaque côté.

PAR PORTION	
4 croquettes	
Calories	515
Protéines	46 g
Matières grasses	28 g
Glucides	22 g
Fibres	3 g
Fer	5 mg
Calcium	193 mg
Sodium	188 mg

Idée pour accompagner

Sauce persillée sans gluten

Mélanger 80 ml (⅓ de tasse) de mayonnaise sans gluten avec 80 ml (⅓ de tasse) de crème sure, 30 ml (2 c. à soupe) de persil haché, 10 ml (2 c. à thé) d'ail haché et 10 ml (2 c. à thé) de zestes de citron.

Index des recettes

Une réalisation de

Éditeur de

     Gabrielle